D1347668

ESCARPIT
Fabricant de nuages

DATE DU PRÊT	NOM DE L'EMPRUNTEUR	DATE DE RENTRÉE
9.4.71	Lavoine	24.4.71
11 JUIN 1971	Lambert	18 JUIN
1 8 DEC. 1971	Amar	31 DEC. 1971
30 MAI 1974	Robert	27 JUIN 1974

DATE DU PRÊT	NOM DE L'EMPRUNTEUR	DATE DE RENTRÉE

LE FABRICANT DE NUAGES

DU MÊME AUTEUR

LES LONDINIENNES, Bordeaux, 1935.
CONTES DU PAYS GRIS, Bordeaux, 1936.
HISTORIA DE LA LITERATURA FRANCESA, Fondo de Cultura Economica, Mexico, 1948.
DE QUOI VIVAIT BYRON ? Deux-Rives, Paris, 1951.
PRÉCIS D'HISTOIRE DE LA LITTÉRATURE ANGLAISE, Hachette, Paris, 1953.
L'ANGLETERRE DANS L'ŒUVRE DE MADAME DE STAEL, Didier, Paris, 1954.
GUIDE ANGLAIS (avec J. Dulck), Hachette, Paris, 1954.
RUDYARD KIPLING, Hachette, Paris, 1955.
CONTES ET LÉGENDES DU MEXIQUE, Nathan, Paris, 1956.
LORD BYRON, UN TEMPÉRAMENT LITTÉRAIRE, Le Cercle du Livre, Paris, 1957.
CONTRACORRIENTES MEXICANAS, Antigua Libreria Robredo, Mexico, 1957.
SOCIOLOGIE DE LA LITTÉRATURE, Presses Universitaires de France, Paris, 1958.
LES DIEUX DU PATAMBA, Fayard, Paris, 1958 (Prix Edouard Herriot).
LES DEUX FONT LA PAIRE, Fayard, Paris, 1959.
GUIDE HISPANIQUE (avec F. Bergès et G. Larrieu), Hachette, Paris, 1959.
PEINTURE FRAÎCHE, Fayard, Paris, 1960 ; Marabout, Bruxelles, 1969.
L'HUMOUR, Presses Universitaires de France, Paris, 1960.
ÉCOLE LAÏQUE, ÉCOLE DU PEUPLE, Calmann-Lévy, Paris, 1961.
SAINTE LYSISTRATA, Fayard, Paris, 1962.
HEMINGWAY, La Renaissance du Livre, Bruxelles, 1963.
LE LITTÉRATRON, Flammarion, Paris, 1964.
MES GÉNÉRAUX, Fayard, Paris, 1965.
LA RÉVOLUTION DU LIVRE, Unesco et P.U.F., Paris, 1965.
BYRON, Seghers, Paris, 1965.
LETTRE OUVERTE A DIEU, Albin Michel, Paris, 1966.
HONORIUS, PAPE, Flammarion, Paris, 1967.
PARAMÉMOIRES D'UN GAULOIS, Flammarion, Paris, 1968.

ROBERT ESCARPIT

LE FABRICANT DE NUAGES

Nouvelles

FLAMMARION, ÉDITEUR
26, rue Racine, PARIS

IL A ÉTÉ TIRÉ DE CET OUVRAGE :

TRENTE EXEMPLAIRES SUR VÉLIN ALFA,
DONT VINGT-CINQ EXEMPLAIRES NUMÉROTÉS DE 1 A 25
ET CINQ EXEMPLAIRES, HORS COMMERCE,
NUMÉROTÉS DE I A V.

LE FABRICANT DE NUAGES

Si je l'ai connu, monsieur ? Hé, je pense ! Il est arrivé ici juste après la guerre, en juillet 45. Tout de suite il a été intéressé par la fabrique de nuages. Ce n'était pas une grosse usine comme maintenant, mais les derniers temps on avait travaillé pour l'armée et l'ouvrage ne manquait pas. On employait vingt compagnons rien que pour les commandes de la météo.

Et puis ça s'est arrêté net avec l'armistice. Le père Bouhut, monsieur François, il se faisait vieux et il n'avait pas de fils pour prendre la succession. Un à un les jeunes sont partis travailler à l'usine de cellulose qui s'était montée de l'autre côté de la Leyre. Bientôt nous ne sommes plus restés que quatre, les vieux de la vieille, trop bêtes pour savoir faire autre chose.

— Pierrot, me dit un jour le père Bouhut, il faut que je ferme boutique. Le nuage fin a fait son temps. Je n'ai plus de commandes.

Pensez si ça m'a donné un coup. Il y avait trente-deux ans que je travaillais dans la fabrique. J'avais commencé comme apprenti de Léon Bouhut, le grand-père de monsieur François. Il avait passé quatre-vingts ans et il m'enseignait les noms des nuages avec la fumée de sa pipe. En deux bouffées, il te vous fabriquait un cumulo-nimbus, monsieur, que vous pensiez entendre le tonnerre.

— Patron, dis-je, vous ne pouvez pas faire ça. Il y a cinq générations qu'on fabrique du nuage dans votre famille. Et avant il y avait déjà un atelier ici, du temps des rois. Le nuage, c'est notre vie. Fermer, vous n'y pensez pas !

— Alors il faut que je vende. Moi, je ne peux plus. Trouve-moi un acheteur, Pierrot. Je lui ferai un bon prix.

— Tope-là, patron !

C'était vite dit. Où trouver quelqu'un qui s'intéresse à la fabrique ? Le nuage, c'est une vocation, et une vocation rare. Je veux dire le nuage comme on le faisait autrefois, à la main et avec de la vraie vapeur de lande. Maintenant il y a le marché commun. Ils importent du gros nuage de Hollande ou d'Angleterre et ils taillent là-dedans à la machine.

Tenez, pas plus tard que la semaine dernière, le brouillard qu'ils ont expédié sur Bordeaux pour l'ouverture de la Foire, il était tout jaune et poisseux. Ça puait le mazout, le thé, la cigarette de dame et je sais pas quoi encore !

Bref, j'étais bien embarrassé. Or c'est ce soir-là qu'ils sont arrivés tous les deux. Ils sont descendus de moto devant l'hôtel de la Poste où je prenais l'apéritif et ils ont demandé une chambre. Ils étaient habillés pareil, avec des pantalons comme des bleus de mécano et des chandails à col roulé. Le sien à elle était jaune canari, et ça lui allait si bien, monsieur, qu'on aurait dit un mannequin de *Marie-Claire*.

C'est ce qu'elle était d'ailleurs, mannequin, comme elle nous l'a expliqué plus tard. Lui, il était dessinateur de mode. Il paraît que c'est un métier terrible. Les gens ne savent pas. Quand on ne travaille pas seulement avec ses mains, mais avec son cœur, avec sa tête, avec ses yeux, comme nous, les nuagistes à l'ancienne, ça vous vide son homme, monsieur, croyez-moi.

Ils prirent la chambre sur le verger parce que c'est la plus tranquille. On n'a jamais su s'ils étaient mariés, remarquez, mais ils étaient très amoureux, ça se voyait.

Danièle — elle s'appelait Danièle et lui Jean-Marc, Jean-Marc Leblier — Danièle, donc, s'inquiétait beaucoup de la santé de Jean-Marc.

— On n'entend aucun bruit, au moins ? Le téléphone, il est de l'autre côté de la maison ? Et le journal ? Surtout pas de journal le matin. Je viendrai chercher le petit déjeuner moi-même. Qu'on ne nous éveille pas avant. Il lui faut un repos complet, vous comprenez ? Pas de soucis, pas de problèmes. La collection d'automne l'a tué, cet homme.

C'est le dimanche suivant que je fis sa connaissance à la pêche. Il y a un peu de gardon dans l'étang de la Tuque, mais ce jour-là ça ne mordait pas. A la douzième fois qu'il a tiré sa ligne sans rien au bout, il a posé la canne à côté de lui, a bourré une pipe et, pour dire quelque chose, m'a montré un petit nimbus qui passait dans le ciel :

— On dirait que la pluie menace.

— Pas de danger, je lui ai répondu. C'est un échantillon de la fabrique de Sainte-Foy-la-Grande. Ils travaillent au sec, ces gens-là. Leurs nuages, ils ne gouttent jamais. Ce serait un des nôtres, je ne dis pas. Chez nous, ici, on travaille à l'humide.

Quand il a su que j'étais dans le nuage, ça l'a passionné. Il ne savait même pas qu'on les fabrique, les nuages. Il croyait que c'était naturel. Il y en a de naturels, remarquez, mais on les reconnaît tout de suite. C'est du sauvage. Si tout le monde commandait ses nuages à un fabricant qualifié, il y aurait moins d'étés pourris et moins de cataclysmes. Mais les gens ne savent pas.

J'ai sorti ma pipe moi aussi et je lui ai montré le principe. Ce n'est pas sorcier, mais il faut le don. Et il l'avait, l'animal, il l'avait. Au bout d'une heure il faisait des petits cumulus jolis comme tout, pas très réussis au point de vue météo, mais avec le coup de pouce de l'artiste. Moi, je ne suis qu'un artisan. Mes nuages, c'est du solide, c'est du vrai. On les regarde et on prend son parapluie. Les siens, c'était de la poésie.

— Danièle ! viens voir ce que je fais ! cria-t-il.

Elle était assise dans le sous-bois, en train de tricoter et de lire.

— Je vois, répondit-elle. Tu fais des nuages. Ce n'est pas nouveau.

— Regarde comme ils sont jolis !

— Parce qu'ils sont petits. Les nuages, c'est comme les chats.

— Ils ne griffent pas.

— Non, mais ils font de l'ombre.

Il vint à la fabrique le lendemain. Justement on terminait la dernière commande : des nuages à la Canaletto pour la municipalité d'Hossegor qui donnait une fête vénitienne.

— Pourquoi Canaletto ? demanda Jean-

Marc. Je vous assure que les nuages d'Italie sont assez beaux par eux-mêmes. Ceux de Venise, on dirait des bancs de poissons volants dans le ciel. Ceux de Florence ressemblent à des fleurs de coton. Quant à ceux de Rome, ils sont grassouillets et rebondis comme des derrières d'angelots.

Le père Bouhut riait de bon cœur.

— Monsieur Leblier, je crains fort que vos descriptions ne soient pas compatibles avec les normes de la météo nationale. Nous travaillons surtout pour les administrations publiques, vous savez. Dans le nuage, il n'y a guère de clientèle privée.

— Et pourquoi pas ? C'est une question de mode. Tu ne crois pas, Danièle ? Je vois très bien ça, moi. Présentation des nuages de printemps à Megève, collection d'hiver en Sologne... Pour les tendances, il y a tout ce qu'il faut : le cumulus en chou-fleur, en fuseau, en pelote, en crème fouettée... Et les couleurs ! On peut révolutionner la gamme des tissus si l'on cherche l'harmonie des ciels... « Matin calme », robe d'intérieur, un drapé léger gorge de pigeon et ardoise en lamé de soie, avec altostratus d'aurore et une aigrette de cirrus blancs...

— Et un infarctus pour toi, dit Danièle sèchement.

— Infarctus ? dit le père Bouhut. Ce n'est pas un nom de nuage, ça.

— Tu vois, Danièle ? Il n'y a pas de danger. C'est Paris qui me tuait. Ici, je travaillerais au grand air, je travaillerais l'air lui-même. C'est magnifique ! Tiens, je te ferai une robe avec cette brume mauve qui monte des bruyères, et des gouttes de rosée en guise de diamants.

Jean-Marc acheta la fabrique plus cher que le père Bouhut n'espérait la vendre. Les premiers temps ne furent pas faciles. Les quatre compagnons étaient restés, mais nous n'avions pas l'habitude de ce genre de travail et Jean-Marc ne nous passait rien. Il était d'une exigence, vous ne pouvez pas imaginer. J'avais beau lui dire que le nuage, ça ne se travaille pas comme le tissu, il nous faisait recommencer des douze, des vingt fois le même cirro-stratus parce que la courbe avait un demi-degré de trop !

On vivotait quand même parce que Danièle, avec ses relations, trouvait par-ci, par-là, quelques commandes, surtout des Américains qui voulaient remporter au Texas ou au Nevada un bout de ciel de France. Nous avons même fait un orage complet avec cumulo-nimbus à neuf mille cinq cents mètres pour un potentat d'Arabie dont les sujets n'avaient jamais vu de pluie !

Le succès n'est vraiment venu que lorsque les gens se sont mis à voyager, après 1950. Ça a commencé par l'Espagne. Nous avions deux modèle : un ciel du Greco que Jean-Marc et Danièle avaient ramené de Tolède et un semis de petits nuages de beau temps, style Costa Brava. Ensuite il y a eu la fameuse série italienne, celle-là même que Jean-Marc avait décrite lors de sa première visite, et puis les nuages grecs, pulvérisés au marbre blanc, les brouillards du Bosphore, les nuées de khamsin et de sirocco, à chauffage incorporé, les nimbus rasants de la mer du Nord et de la Baltique. Tout le monde voulait ramener chez soi son nuage de vacances.

C'est à cette époque que les Galeries Lafayette ont monté leur rayon de nuages sur la terrasse du septième étage. On y présentait les collections et je vous assure, monsieur, qu'il y avait du beau monde.

La fabrique se développait régulièrement. La plupart des anciens compagnons étaient revenus de l'usine de cellulose. Nous avions aussi des modélistes, des coloristes, des météorologues, des ingénieurs. Mais pour le fini, on en revenait toujours au vieux de la vieille.

— Sans Pierrot, disait Jean-Marc, le nuage, ce serait de la fumée.

— C'est de la fumée, répondait Danièle, et tu fumes trop.

Elle avait raison. Jean-Marc se surmenait. Jour et nuit, il ne quittait plus le bureau d'étude, à moins qu'il ne soit sur le terrain d'essai de la clairière de Boudigue ou à Paris en train de négocier un contrat. Danièle pleurait souvent en secret. Je faisais ce que je pouvais pour la réconforter.

— Il ne faut pas vous frapper, madame Danièle, le nuage, quand ça vous tient, c'est difficile de penser à autre chose, mais monsieur Leblier vous aime toujours, croyez-en le vieux Pierrot.

— Qu'est-ce que ça peut me faire qu'il m'aime, s'il en devient dingue, de ses nuages ? Autrefois, quand nous sommes arrivés ici, c'étaient les modèles des collections qui lui portaient à la tête. Il dessinait des robes en mangeant, en dormant, en rêvant, en faisant l'amour. Je croyais que c'était fini, et voilà que ça recommence avec les nuages. Tenez, cet après-midi, je prenais le soleil dans le jardin. Je lui ai crié de me faire passer quelque chose pour m'abriter la tête. Il m'a envoyé un gros nimbus noir qui a crevé juste au-dessus de moi et m'a trempée jusqu'aux os. Il paraît que c'est un modèle expérimental !

— Oui, je le connais. C'est « Sombre Dimanche ». Il va avec un parfum de Lanvin à base de feuilles mortes et de fleurs fanées. Il y a des gens qui aiment ça.

— Eh bien, pas moi ! J'aime le soleil, moi. Un nuage par-ci, par-là, je ne dis pas, mais des nuages qui s'accrochent aux murs de ma chambre à coucher comme des toiles d'araignées, des nuages qui envahissent ma cuisine et donnent un goût d'eau à tout ce que nous mangeons, non, non, non et non ! Vous croyez que c'est agréable de vivre avec un homme qui a toujours une fumerolle ou deux au-dessus de la tête ? Vous n'avez pas remarqué ?

J'avais remarqué, bien sûr, mais je ne pouvais pas lui dire ce que j'en pensais. Jean-Marc était en train de s'intoxiquer lentement. Le nuage, c'est pire que l'alcool. Un nuagiste qui y prend goût, c'est comme un bistrot qui boit l'apéritif avec les clients.

Quand vous avez des ennuis, quand vous êtes fatigué, vous n'imaginez pas ce que ça fait du bien d'avoir la tête dans les nuages. On se sent léger, content, détaché de tout. Mais après, pour revenir sur terre, c'est une autre histoire. Le nuage s'accroche à vous, il grossit, il vous glace, il vous écrase. Encore heureux si l'orage éclate et vous soulage sur le moment. Mais dès que le calme est revenu, vous recommencerez à vous fabriquer vos nuages.

Souvent j'avais surpris Jean-Marc dans son bureau, le visage caché par un lambeau de brouillard ou le regard perdu dans une volute de brume. Dès qu'il s'apercevait de ma présence, il se dépêchait de mettre en marche le ventilateur, mais je n'étais pas dupe.

— Patron, lui disais-je, vous filez du mauvais coton. Pensez à madame Danièle.

— C'est bien à elle que je pense, Pierrot. J'ai découvert un monde merveilleux dans les nuages, et je voudrais l'y emmener avec moi.

— Vous croyez qu'elle voudra venir ?

— Oui, quand je pourrai lui montrer ce qui nous attend là-bas, tous les deux. Regarde ça, Pierrot.

C'était un bocal ordinaire, comme un bouteillon de cinq pintes, mais la vapeur légère qui y flottait ne ressemblait à rien de ce que j'avais vu jusque-là. Elle avait à la fois la transparence et l'épaisseur, si vous me comprenez. On ne pouvait pas dire qu'elle avait une teinte, mais les choses à travers elle prenaient des couleurs différentes, plus vraies et en même temps insaisissables, toujours entre deux nuances. Les formes aussi changeaient. On reconnaissait les objets les plus proches de l'autre côté du bocal, mais au-delà on devinait plutôt qu'on ne voyait des lignes, des courbes fuyant en profondeur très loin, beaucoup plus loin que les murs du bureau.

— C'est du joli boulot, patron, dis-je. Avec quoi faites-vous ça ?

— A vrai dire, je n'en sais trop rien. Ce sont des éléments que je capte autour de moi.

Chimiquement, il n'y a que de l'air avec peut-être une légère ionisation.

— Dites, ce doit être diablement volatil, ce machin-là. Vous aurez du mal à contrôler le contour.

— Je crois que j'ai trouvé un moyen de limiter l'expansion, Pierrot. Nous ferons un essai dimanche prochain à la clairière de Boudigue et je verrai bien si mes nuages plaisent à Danièle !

Le dimanche suivant était une belle journée d'automne, avec un ciel tout pétillant de lumière dorée, un de ces ciels de chasse à la palombe qui, à nous, nuagistes, nous donne envie de nous mettre au chômage. J'ai pris la jeep à l'usine et j'ai chargé l'équipement, sans oublier les respirateurs. On a beau dire que le nuage c'est sans danger, on ne sait pas quelles saloperies les fournisseurs de maintenant sont capables de foutre dans la matière première.

Quand je suis arrivé chez les Leblier, ils étaient en train de finir le petit déjeuner dans le jardin et tout de suite j'ai compris que quelque chose n'allait pas. Vous ne me croirez pas, monsieur, mais par cette matinée du bon Dieu ils avaient au-dessus de leurs têtes un énorme nuage qui bourgeonnait à toute vitesse et déjà prenait la forme d'enclume dans les couches supérieures. Le temps que j'arrête la voiture et la tornade éclatait, juste sur leur coin de jardin, vous comprenez ? Danièle s'enfuit en pleurant vers la maison.

— Je ne comprends pas ce qui est arrivé, dit Jean-Marc. Quand nous nous sommes levés, tout allait bien, et puis je ne sais pas si c'est la fumée de ma cigarette ou les toasts que j'ai laissé brûler, mais ce nuage s'est brusquement formé au-dessus de nous et je n'ai pas pu le contrôler. On aurait dit que chacune de mes paroles, chacun de mes gestes le faisait grossir. Danièle s'est affolée et nous avons fini par nous disputer. C'est idiot.

— Je vous l'ai dit, patron. Il ne faut pas jouer avec les nuages. Vous tenez toujours à tenter votre expérience ?

— Plus que jamais, Pierrot. Allons-y.

Nous y sommes allés. Deux litres et demi de brume, ce n'est pas grand-chose. Nous avions décidé d'opérer sur un bosquet de pins d'un demi-hectare. Je l'avais bien cadré avec les souffleries, mais je ne m'attendais pas à ce qui allait se passer.

Donc, nous arrivons. Voilà Jean-Marc qui s'avance au milieu des pins, des arbres d'une vingtaine d'années qu'on venait à peine de gemmer. Le sous-bois était bien propre : juste quelques fougères et deux ou trois bouquets de bruyère en fleur. Jean-Marc regarde autour de lui en souriant, me fait signe d'enclencher les souffleries pour isoler le terrain d'expérience et, toc ! il fait sauter le couvercle du bouteillon.

Ah, monsieur, il n'a pas fallu dix secondes ! D'un coup voilà la brume qui envahit le boqueteau et qui l'efface... Moi, je regarde et j'essaie de comprendre. Je vois toujours devant moi la première rangée de pins, plus nette peut-être encore qu'avant, mais derrière, je ne sais pas vous dire, c'est tout transparent, comme dans le bocal, seulement on ne voit rien que des formes qui s'enfuient et des couleurs qui changent... Un peu effrayé, je m'approche. Je crois distinguer des fougères, mais elles sont immenses, plus grandes que des pins de quarante ans. Dans la direction où étaient les bruyères j'aperçois de grandes flammes violettes, mais elles sont loin, très loin... Et le boqueteau, monsieur, il n'a pas cent mètres de profondeur. Ce qui m'effraie surtout, c'est que je ne vois plus Jean-Marc qui était juste là, devant moi, à portée de voix. J'appelle :

— Patron ! Vous m'entendez ?

Vous ne savez peut-être pas ce que c'est, monsieur, le silence de la forêt, surtout en automne, quand le gibier se terre et que chaque gland qui tombe d'un chêne, chaque pigne qui dégringole s'entend à travers tout le sous-bois.

— Patron ! je crie. Répondez-moi !

A un moment j'ai cru, je dis bien, j'ai cru que j'entendais comme un appel lointain, très haut, plus haut que les arbres. Mais tout à coup la brise s'est levée et le bruit qu'elle a fait en rasant la cime des pins a balayé le silence. J'ai aussi vu passer quelque chose de blanc dans la brume, comme une effraie qui chasse, ses grandes ailes déployées.

Alors moi, je sens la panique qui me gagne et je retourne au galop vers la jeep pour couper les souffleries. A ce moment, voilà madame Danièle qui débouche dans la clairière à bord de sa quatre-chevaux. Elle arrive auprès de moi, tout essoufflée.

— Où est Jean-Marc ?

— Dans le boqueteau, madame. Il ne peut pas être allé très loin.

J'appuie sur le contacteur et les souffleries s'arrêtent. Aussitôt la rafale de brise s'engouffre dans le sous-bois. Alors, monsieur, la brume libérée se dilue, se répand et en moins de rien nous l'avons sur nous. Danièle se met à courir vers les arbres, mais à peine elle a fait quelques pas qu'elle est prise de vertige et tombe. Moi-même je commence à sentir que je ne vois plus les choses comme elles sont...

Heureusement que j'avais les respirateurs, monsieur. Je lui ai mis le sien de force et je l'ai maintenue par terre jusqu'à ce que j'estime le danger passé. Elle se débattait, elle pleurait, elle griffait, mais le vieux Pierrot tenait bon.

Il a fallu une demi-heure pour que le vent purifie entièrement l'atmosphère. Le boqueteau avait repris son apparence normale. Nous l'avons parcouru en tous sens. Rien n'avait changé. Nous avons même retrouvé le bouteillon, mais nous n'avons pas retrouvé Jean-Marc.

Ensuite on a fait des battues. Pendant huit jours la gendarmerie s'y est mise avec ses hélicoptères, les pompiers avec leurs jeeps, les ponts et chaussées avec leurs bulldozers. On a asséché tous les esteys, sondé tous les trous.

Il y en a qui parlent de la fondrière du Biganon, mais elle est à vingt kilomètres et on n'y noierait pas un roquet. Non, monsieur, la vérité vraie, c'est que Jean-Marc a été mangé par le nuage qu'il s'était fabriqué. Ce n'est pas la première fois que cette chose arrive, tous les vieux nuagistes vous le diront, mais c'était peut-être la dernière, parce que des fabricants de nuages comme Jean-Marc, il n'y en aura plus jamais.

Madame Danièle a vendu la fabrique à une société étrangère, le holding, comme ils disent. Ceux-là, ils font des sous. Alors, hé ! c'est peut-être par leurs sous qu'ils seront mangés.

LA FILLE SUR LE TROTTOIR D'EN FACE

A Marc Saporta.

Bénis soient les casse-pieds quand ils s'appellent Marc Saporta. Contre la dépression nerveuse par surmenage le whisky est aussi une solution, mais l'alco-test et la cirrhose lui assignent des limites. Rien ne vaut un bon casse-pieds amical et irrésistible.

Le principe est celui de l'homéopathie. Vous avez *n* choses à faire et votre seuil de résistance se situe aux abords de *n* moins un. Vous ne vous sentez même pas la force de vous demander quand vous commencerez à vous demander par quoi commencer. A ce moment le casse-pieds sonne à votre porte et vous met sous le nez, urgente, séduisante, envahissante, une *n* plus unième chose à faire qui vous fournit une excuse pour oublier tout le reste. Vous êtes sauvé.

A ma porte, c'est le facteur qui a sonné. Parmi les lettres qu'il m'a remises il y en avait une de Marc Saporta. Je l'ai ouverte la première et je l'ai étalée sur mon bureau, écartant pour lui faire place la meute invisible et grimaçante, silencieuse et jacassante, des soucis quotidiens, qui me cernait depuis quinze jours et s'apprêtait à la curée : un bouquin à terminer, un autre à commencer, la voiture en panne, les programmes de recherche à établir, l'ordinateur à nourrir, le bachot du fils, les billets du *Monde*, le motoculteur à réparer, la réforme Fouchet, l'évier à déboucher, la note du boucher, les notes de service, l'emprunt pour la nouvelle maison, les auteurs du premier cycle, le carrelage de la future cuisine, les horaires de licence, la carte S.N.C.F., les thèses, les prothèses, les missions, les vaccinations, les contributions, les bordereaux, l'Unesco, le calendrier, le budget, le téléphone et les lettres, les lettres, les lettres.

Pour rejoindre ma femme, cernée au premier étage par une meute du même genre, il aurait fallu que je prenne la décision de mettre le pied sur la première marche de l'escalier et pareil effort de volonté était au-dessus de mes forces.

Je restai donc en tête à tête avec Marc Saporta. Il me demandait d'écrire une nouvelle sur le thème : « la fille sur le trottoir d'en face ».

La fille sur le trottoir d'en face.

Je réussis à tourner la tête vers la fenêtre pour regarder le trottoir d'en face. Il était noyé de lumière par un septembre bordelais qui se prenait pour un août toulousain. Un vrai temps de milieu de semaine, avec ciel blindé de bleu contre les évasions interdites.

Je voyais six mètres de trottoir et le mur blanc du numéro 169, six mètres aussi. Il n'y avait pas de fille. Il n'y avait personne, incroyablement personne.

Sans y songer, le remède opérant déjà, je me levai et, allant jusqu'à la fenêtre, en écartai le rideau. Maintenant ma vue embrassait au moins trente mètres de trottoir. De droite à gauche, je voyais le portail du 169 avec défense de stationner, la pierre blanc-Malraux du 171, résidence d'un haut fonctionnaire de l'O.R.T.F., la double grille du 173 qui mène vers des verdures lointaines dont, depuis dix-sept ans, je n'ai pas pénétré le secret, et les volets clos du 175 où vit une ancienne guérisseuse qui ressemble à la sorcière de Blanche-Neige. Mais pas de fille.

Pourtant — comment m'exprimer ? — il n'y avait personne, mais je ne sentais pas la rue vide. La lumière n'avait pas l'éclat terne et uniforme qui est la couleur de l'absence.

C'est une chose difficile à expliquer, mais je ne suis certainement pas le seul à l'avoir éprouvée. Pour savoir qu'une maison est inhabitée, il n'est pas nécessaire d'en explorer les moindres recoins. Chaque centimètre carré de mur, chaque centimètre cube d'air affirme sa vacance, sa solitude. Le désert est fractionnable à l'infini et la plus infime présence s'y cristallise en mille facettes que l'œil perçoit où qu'il se porte.

Il y avait une présence dans la rue. J'en étais certain. Je clignai les yeux pour essayer de ne garder que l'essentiel de la lumière.

Oui, cela semblait irradier d'un point bien précis sur le trottoir d'en face, à l'extrême droite, là où l'éboueur quotidien laisse tomber la poubelle du 169 après l'avoir cueillie quinze mètres plus à gauche. Il y eut là pendant une fraction de seconde comme un scintillement fugitif, comme un tourbillonnement insaisissable de particules, qui s'évanouit presque aussitôt.

J'avais mal aux yeux à force de les cligner et, sans lunettes de soleil, je commençais à voir le mur en bleu et le trottoir en jaune, mais je n'arrivais pas à détacher mon regard du point-poubelle.

La sonnerie du téléphone me délivra. Je retournai à mon bureau. La meute frétillait autour de l'appareil. Le combiné pesait une tonne. C'était un de mes collègues de la Faculté qui désirait savoir si je serais disponible pour une conférence le troisième vendredi du mois suivant, ou bien le deuxième mardi, ou bien le quatrième jeudi...

De ma place, je voyais de nouveau les six mètres de trottoir, plats et aveuglants comme avant. L'épicier du coin passa, une bouteille d'Evian à la main, puis mon voisin le cordonnier, son journal sous le bras. Ils laissèrent le trottoir vide, de plus en plus vide.

Mon pilote automatique répondait au téléphone, ouvrait le calepin, cherchait le pantabille, choisissait la couleur et notait en vert billard le rendez-vous. Je repris les commandes.

— Dis donc, « la fille sur le trottoir d'en face », à quoi ça te fait penser ?

— La quoi ?

— La fille sur le trottoir d'en face. T'occupe pas, réponds sans réfléchir. C'est un test.

— Ben, je ne sais pas, moi... une putain ?

— Une putain comment ?

— Euh... blonde peut-être.

— Et encore ?

— Les yeux verts.

— Verts ou pers ?

— Verts... vert clair, très clair.

— C'est tout ?

— Euh, je crois. Mais pour les yeux, je suis sûr.

Le téléphone raccroché, je pris une feuille de papier et j'écrivis en haut « Fille trottoir face », puis au-dessous le nom de mon collègue et « Putain, blonde (?), yeux vert clair ». La meute regardait, intéressée, subjuguée et pour une fois silencieuse.

C'était un commencement.

Quelques instants plus tard, l'employé du gaz sonna. Je le connaissais et il m'arrivait de discuter peinture avec lui. « Prostituée », me dit-il sans hésiter quand je lui posai la question. Les yeux, verts il ne savait pas, mais clairs certainement. Les cheveux blonds peut-être, mais alors tirant sur le roux. La peau, il était sûr : blanche, très blanche, faisant ressortir les cernes sous les yeux, des cernes bleu-mauve avec une pointe de vert. Peintre du dimanche, il parlait des cernes en coloriste.

J'ajoutai son témoignage à celui de mon collègue.

Me sentant un peu plus de courage, j'allai à la cuisine boire un verre d'eau. La femme de ménage ne parut pas surprise par ma question, mais elle n'avait aucune idée sur l'apparence physique de la fille. Par contre elle pouvait me dire ce qu'elle faisait sur le trottoir.

— Elle attend.

— Elle attend quoi ?

— L'autobus probablement.

— Mais l'arrêt est à plus de cent mètres.

— Justement, il est trop loin.

L'argument me laissa perplexe, mais j'avais maintenant récupéré assez de forces pour monter voir ma femme. Elle tapait furieusement à la machine dans un vain effort pour tenir sa meute à distance. Quand je lui posai ma question, son regard devint soupçonneux.

— Qui est cette fille ?

— C'est justement ce que je te demande.

— Je ne connais pas toutes tes relations.

— Ce n'est pas une relation, c'est un test. Comment la vois-tu ?

— Rien que pour t'embêter, brune.

— Ça ne m'embête pas, mais si tu dis ça pour m'embêter ça fausse le test. En dehors de ça ?

— Style *Grand Meaulnes*, dans le flou, avec de la verdure.

— De la verdure sur un trottoir...

— Tu as vu l'herbe qui pousse au pied du mur du 175 ? On ne nettoie jamais.

— Je veux dire que, poétiquement parlant, la verdure ne va pas avec le trottoir.

— Mais ça va avec la fille. Elle a des yeux de vache.

— Quelle couleur ?

— Je ne l'ai pas regardée d'assez près. Va voir toi-même.

Il était temps d'aller à la Faculté. Cela, c'était facile. Je n'avais qu'à monter dans ma voiture et à me laisser conduire par elle. L'ennui, c'est qu'elle va automatiquement se parquer dans un stationnement interdit, même quand il y a de la place ailleurs.

— Et toi, lui dis-je, la fille sur le trottoir d'en face, ça ne te dit rien ?

— Vroap !... vrrouououou...

— Quand tu en vois une agréable à regarder, tu as pourtant la manie de freiner pile au risque de me faire bigorner par l'arrière. Mais littérairement, ça ne t'intéresse pas ?

— Vroap, yiiiiiii ! répondit-elle en s'arrêtant à un feu rouge.

C'est seulement quand le feu passa au vert que je vis la fille sur le trottoir de gauche. Mais la voiture démarrait déjà et j'eus à peine le temps d'apercevoir une robe bleu pétrole. Au feu suivant, je tirai la liste de ma poche pour y ajouter la mention « Voiture : grande, mince, robe bleue ».

A la Faculté je colportai ma question de bureau en bureau. Visiblement ma secrétaire se représentait la fille comme une sœur jumelle qui n'aurait pas ce qu'elle croit être ses propres défauts.

Mes collaborateurs mâles étaient pour la putain, mais alors que le spécialiste du livre de masse la voyait rousse, aguichante et perverse, le lexicologue l'imaginait lointaine, vague et molle.

— Un peu débile en somme ?

— Bof !... une paumée, quoi.

Côté féminin, on était plus nuancé : ici du Nerval, avec organdi, rubans et bandeaux, là du Piaf, avec pavé, pluie, bec de gaz et brumes du quai.

Dans mon bureau je mis le courrier à signer dans un tiroir et le courrier à lire dans la corbeille à papiers, puis je considérai ma liste. Elle était déjà bien remplie et du premier coup d'œil on y pouvait distinguer l'ébauche d'une loi générale permettant de formuler une première hypothèse de travail : les hommes réagissaient au mot « trottoir » et les femmes au mot « fille ».

Un projet d'enquête se dessinait dans mon esprit. Test projectif ? Questionnaire fermé ? Interview non directive ? C'était à voir. Il faudrait tirer un échantillon au millième. J'aurais à prendre conseil d'un psychanalyste, d'un esthéticien, d'un sémanticien, d'un statisticien, d'un urbaniste pour le trottoir et d'un gynécologue pour la fille.

Le téléphone interrompit le cours de mes pensées. C'était le concierge. Il me dit :

— Vous avez vu ce qu'il y a sur le trottoir d'en face ?

— Il y a une fille ?

— Non, monsieur le professeur, il y a votre voiture qui est stationnée avec deux roues dessus et un flic qui est en train de vous coller un papillon.

J'arrivai à temps pour prévenir le geste fatal du gardien de l'ordre. Il rengaina son carnet en me voyant monter dans la voiture. Je lui demandai :

— Monsieur l'agent, vous voyez le trottoir en face ?

— Oui, hé bé ?

— Supposez que vous aperceviez une fille dessus, qu'est-ce que vous diriez ?

— Si c'est la rouquine de l'hôtel là-bas que vous voulez dire, je la ferais circuler, parce qu'on les autorise pas à dépasser le coin de la rue.

Je laissai la voiture faire deux fois le tour du bloc puis revenir se ranger au même endroit.

Au moment où je rentrais dans mon bureau, le téléphone se remit à sonner. Le Doyen me rappelait que je devais fournir en cinq exemplaires l'état des besoins de mon service en balayettes, éponges, serpillières et autre menu matériel d'entretien pour les quatre années à venir en vue de l'établissement des prévisions du VIe Plan. Je n'osai pas lui poser la question de la fille.

Mais pendant les huit jours qui suivirent, je la posai à plus de trois cents personnes, y compris un pasteur luthérien, un homosexuel, un maire S.F.I.O. et une des prostituées de la place du Chapelet qui sont, comme chacun sait, les plus cultivées de Bordeaux.

Ma liste du début s'était enflée en une grosse liasse qui déformait la poche de ma veste, mais je ne m'en séparais plus, tant le jeu piquait mon imagination. Ce n'était qu'une suite confuse de mots sans liens apparents, car tous mes interlocuteurs ne réagissaient pas de la même façon. Les uns faisaient le portrait physique de la fille, les autres son portrait moral, d'autres encore décrivaient son décor ou racontaient son histoire. La plupart combinaient ces diverses façons de voir et fournissaient des notations contradictoires souvent hypothétiques, mais parfois étonnamment précises.

De nouveau j'éprouvais une impression étrange et difficile à définir, comme lorsqu'on regarde une tapisserie à ramages, une mosaïque en *opus incertum* ou une robe op'art. L'examen attentif du dessin ne montre qu'un désordre indéchiffrable, et pourtant le hasard d'un coup d'œil fugitif révèle soudain un symbole si riche de sens, fait grimacer ou sourire un visage si expressif, éveille une angoisse ou une allégresse si réelles que leur présence s'impose longtemps après que le regard de nouveau fixé a dissous la vision.

A travers le chaos de ma liste, prisonnier des mots, il y avait quelqu'un ou quelque chose qui me parlait, qui cherchait à me parler, comme il y avait quelqu'un, quelque chose, sur le trottoir l'autre jour.

Le trottoir ne m'aidait guère. Tous les matins, la poubelle du 169 résonnait sinistrement dans l'aube embrumée. Je me penchais à la fenêtre de la salle de bains, mais je ne voyais que le dos rouge de la benne qui s'en allait au fond de la rue. Le trottoir d'en face n'était peuplé que de poubelles vides et de vieilles dames promenant leurs petits chiens.

Il y avait un avantage à la situation, un seul, mais considérable : mes soucis étaient à peu près complètement oubliés et j'avais même réussi à faire partager cette euphorie par ma femme. Le soir, au lieu de regarder la télévision, nous évoquions l'inconnue du trottoir, qui était devenue pour nous comme une sorte d'amie. Il nous arrivait même de l'évoquer en famille quand mes filles et leurs maris venaient passer quelques instants avec nous. Seul mon gendre psychiatre nous regardait d'un œil inquiet mais connaisseur. J'aurais bien interrogé mon fils par téléphone, mais il était dans une boîte à bachot et je jugeais le moment mal choisi pour attirer son attention sur les trottoirs et les filles.

Dix jours exactement après avoir reçu la lettre de Marc Saporta, je me trouvais dans mon bureau à la Faculté en compagnie de l'ingénieur de la compagnie I.B.M. et de notre statisticien-maison. Nous venions de mettre au point le programme de dépouillement électronique d'une enquête sur la lecture chez les employés de banque.

Accablés par cet effort intellectuel, nous nous regardions en silence, cherchant un prétexte pour prolonger l'entretien dans la fraîcheur relative de mon bureau. Je mis la fille au trottoir sur le tapis. L'ingénieur I.B.M., bel homme au teint clair, ôta ses lunettes cerclées d'or et les essuya pensivement. Il rentrait de vacances. Manifestement il était branché sur les plages plutôt que sur les trottoirs. Le statisticien, aimable, chauve et sérieux, tendit une main avide vers la liasse que j'avais tirée de ma poche.

— Je ne crois pas que vous puissiez y trouver grand-chose, lui dis-je.

Il ne répondit pas et, sourcils froncés, se plongea dans la lecture du document.

— Plutôt du genre *cover-girl* en bikini, murmura rêveusement l'ingénieur I. B. M., mais qu'est-ce qu'elle ferait sur un trottoir ?

— Il doit bien lui arriver de marcher.

— Mmm... alors avec des talons hauts, très hauts, très minces, et qui claquent...

— C'est un symbole érotique.

Il eut l'air choqué et remit ses lunettes.

— Pourquoi d'en face ? dit soudain le statisticien.

— Plaît-il ?

— Je dis pourquoi ce trottoir-là plutôt que l'autre ? A supposer que les deux trottoirs soient de la même largeur, si vous lâchez la fille au milieu de la rue, il y a exactement la même probabilité pour qu'elle prenne l'un ou l'autre trottoir.

— Elle veut peut-être rencontrer quelqu'un, dis-je.

— Ou l'éviter, ajouta l'ingénieur.

— Elle va peut-être entrer dans une maison.

— Ou en sortir.

Le statisticien hocha la tête.

— Ce n'est pas dans l'énoncé.

Il se replongea dans sa lecture, mais il nous avait ouvert de nouvelles perspectives.

— A mon sens, dit l'ingénieur, le trottoir d'en face exprime l'évasion vers l'inaccessible.

— Il me semble que c'est le contraire. Si la fille était vraiment inaccessible, on aurait pris un trottoir dans un autre quartier, dans une autre ville. En l'occurrence il suffit de traverser la rue. C'est facile.

— Ça dépend de la rue.

— Disons que c'est facile et difficile. La fille est à la fois accessible et inaccessible.

— A la fois proche et lointaine.

— A la fois absente et présente.

Nous étions très contents de nous.

— Dans un système binaire, les deux critères sont incompatibles, grogna le statisticien sans lever les yeux.

— Vous voyez qu'il n'y a rien à en tirer.

— Je crois que si.

Intéressé, l'homme d'I.B.M. saisit la liasse et l'examina.

— Ça m'a l'air assez dispersé.

— Oui, dis-je, si vous faites un tableau de toutes les réponses, vous obtiendrez une poussière de notations, mais rien de cohérent. A quoi ça nous avance de savoir que 30 % des gens voient la fille avec une robe bleue, 20 % avec une robe rose et 15 % avec une robe orange ? Ce sont les couleurs à la mode cet été. J'ai vu ça dans *Elle*.

Ils parurent impressionnés par mon érudition. Le statisticien se ressaisit le premier.

— Je suis d'accord, dit-il, mais pourtant, à vue de nez, on sent quelque chose.

— Je veux bien, mais quoi ?

Le statisticien cligna de l'œil et tira son stylo.

— Moi, je sais : ce sont les couples.

— Les couples ? Il n'y a qu'une fille sur le trottoir.

— Oui, mais il y a trois cent vingt personnes sur vos papiers et chacune a fourni une moyenne, disons de trois notations. Cela en fait un millier en tout, qui se répartissent entre les divers aspects physiques ou moraux de la fille en apparence au hasard, mais...

Il leva le doigt. Le téléphone sonna.

— C'est le flic, dit la voix du concierge.

— Qu'est-ce qu'il veut ? Je n'ai pas de roue sur le trottoir aujourd'hui !

— Il veut savoir si vous avez revu la rouquine sur le trottoir d'en face.

Le ton de sa voix indiquait clairement qu'il désapprouvait mes relations.

— Dites-lui que je me suis trompé de trottoir.

— Mais, reprit le statisticien en pointant son doigt vers l'ingénieur, supposez que je calcule la probabilité qu'il y a pour qu'une notation donnée soit associée à une autre.

Ils se penchèrent tous deux sur les papiers en marmonnant des incantations mathématiques. Quand ils relevèrent la tête, j'eus envie de dire *amen*.

— Supposez maintenant, dit le statisticien, que je cherche comment les notations sont réellement associées deux à deux dans les réponses. Je compare ma répartition théorique et ma répartition observée, je calcule la variance, l'écart type, l'écart réduit et je vous fiche mon billet que je trouverai des couples qui auront une probabilité inférieure à 5 % !

— Praline ? dit l'ingénieur.

— Non, merci.

— Je veux dire qu'on peut faire ça sur le programme Praline.

Praline est le nom de code que la maison I.B.M. a donné au programme dont je me sers pour l'exploitation des enquêtes sur ordinateur.

— Je vous ai compris, dis-je, mais...

Le téléphone. La voix du concierge.

— Le flic dit que votre voiture est correctement placée par rapport au trottoir, mais que vous vous êtes effectivement trompé de trottoir, vu que c'est aujourd'hui le 15.

— Dites-lui que je me suis converti à la religion orthodoxe et que j'ai adopté le calendrier julien... Donc, repris-je en raccrochant, je vous ai compris, mais pour plus de clarté puis-je vous demander de traduire vos explications en français ?

— C'est simple. Supposons que pour la robe nous trouvions 30 % de réponses « bleu », 20 % de réponses « rose » et 15 % de réponses « orange », que d'autre part nous trouvions pour le physique 20 % de « mince », 30 % de « boulotte » et 35 % de « moyenne ».

Ça ne nous apprend rien, d'accord. Mais supposons que 60 % de réponses « bleu » soient invariablement associées à des réponses « mince », au lieu de 6 % comme le voudrait une répartition au hasard, alors là nous tenons quelque chose.

— Et vous croyez que...

— J'en suis sûr. Tenez, sur vos trois cent vingt réponses, il n'y a qu'une quarantaine de personnes qui ont vu la fille rousse, mais trente-huit d'entre elles — je viens de vérifier — l'ont vue habillée de bleu. C'est un résultat qui ne peut pas être dû au hasard. Il y a là quelque chose de tout à fait curieux. Je suis certain qu'en poussant un peu les choses, on obtiendrait un signalement tout à fait détaillé. Ça vaut la peine d'essayer.

Je regardai l'ingénieur I.B.M.

— On essaie ?

Il hocha la tête, l'œil professionnellement avivé. Il était enfin rentré de vacances.

— On essaie.

J'appelai ma collaboratrice chargée des enquêtes. Le téléphone sonna au moment où elle entrait.

— Si c'est pour la voiture ou la rouquine...

— Non, répondit la voix de l'administrateur principal de la Faculté, c'est pour les balais. Le ministère nous a retourné l'état provisionnel de vos besoins en matériel d'entretien. Vous avez oublié les balais de brande modèle 17861 pour le nettoyage des trottoirs.

— Mais les locaux que mon service occupera l'an prochain sont au premier étage !

— Les prévisions doivent être faites à partir de la situation actuelle, monsieur le professeur, et votre situation actuelle comporte un trottoir.

Je raccrochai et considérai ma collaboratrice qui attendait, ses yeux bleu de lin (20, 30 ou 40 % ?) pleins d'une résignation accablée. Mes collaborateurs n'ont jamais tout à fait pris leur parti d'avoir un patron fada. Elle tendit la main vers la liasse.

— Donnez, dit-elle, je vais coder.

— Vous avez toutes les catégories en tête ?

— Il faut bien que quelqu'un ait un peu de mémoire dans ce service.

— Prostituée, par exemple, comment codez-vous ça ?

— C'est prévu dans la classification socioprofessionnelle de l'Institut national de la Statistique : « Catégorie 99 : capitaliste, idiot, imbécile, propriétaire, propriétaire foncier, prostituée. » Ce sont les professions non actives.

— Non active, prostituée...

— Comparée à d'autres que je connais, répondit-elle acidement, c'est une profession de tout repos.

L'opération était lancée.

— Il faut lui donner un nom de code, dit l'ingénieur. L'avant-dernière était l'opération Désiré, sur la critique littéraire, et la dernière l'opération Entreprise, sur la lecture dans les usines.

— Appelez-la l'opération Fantôme.

Téléphone. Concierge.

— Le flic veut savoir qui est Julien.

— C'est le Jules de la rouquine en bleu qui est sur le trottoir d'en face.

L'ingénieur d'I.B.M. m'avait promis les résultats dans les huit jours. J'essayai de tromper l'attente en écrivant la nouvelle demandée par Marc Saporta.

J'employai d'abord le ton humoristique. Cela donnait du Paul Guth. Puis je fis une tentative sur le ton sentimental. Cela donnait du Jean Nocher. Je tombais de plus en plus bas. Je pris des ciseaux, découpai toutes mes phrases et les collai au hasard sur une feuille de papier. Cela donnait du Marc Saporta.

J'ai fini par renoncer. Huit jours sont passés depuis que j'ai lancé l'opération Fantôme. Tous les matins, en ouvrant la fenêtre de mon bureau, je regarde le trottoir d'en face à l'endroit où gît la poubelle du 169, tantôt couchée, tantôt cul par-dessus tête, au gré des humeurs éboueuses. Et je sais qu'à la fenêtre du premier étage ma femme en fait autant. Au petit déjeuner nous en parlons à voix basse.

La maison s'est faite silencieuse. On dirait qu'elle attend une visite. Elle est, fenêtres écarquillées, toute tendue vers la rue et son trottoir vide que même les passants ont l'air d'éviter.

On attend. La pendule de la salle à manger retient son tic-tac séculaire et la machine à laver ne bourdonne qu'en sourdine. Le téléphone est en panne. Nous marchons à pas feutrés. La meute des soucis quotidiens dort comme celle des Furies dans Eschyle.

Ce matin j'étais seul dans la maison quand la sonnerie de la porte a soudain violé le silence, stridente, cruelle, obscène. Après un instant de panique je suis allé ouvrir la porte. Le facteur m'apportait une grosse enveloppe marquée I.B.M.

Je l'ai posée sur mon bureau et je suis resté longtemps devant elle, partageant mon regard entre les six mètres de trottoir et les sept cent-vingt centimètres carrés de l'enveloppe en carton bulle.

Puis je l'ai ouverte, déployant l'accordéon de papier sur lequel les ordinateurs ont coutume de consigner leurs réponses. Il y avait quatre-vingt-deux tableaux, tout constellés de marques et de points d'exclamation au crayon rouge.

Une lettre de l'ingénieur accompagnait l'envoi.

C'est incroyable, écrivait-il. *L'hypothèse de notre ami statisticien se vérifie d'une manière que je qualifierai d'effrayante. Sous leur apparente diversité les réponses que vous avez obtenues contiennent un véritable portrait-robot dont la probabilité est inférieure à 0,1 %. Il est impossible que ce résultat soit dû au hasard.*

Effectivement cela sautait aux yeux. La fille était d'un blond ardent, tirant vers le roux, avec des yeux verts fatigués, une peau très blanche, des lèvres charnues et pâles. Mince et grande, presque dégingandée, elle portait une robe bleu pétrole et des souliers à hauts talons un peu passés de mode. Elle avait l'air d'attendre. Son métier restait incertain. Je respirai d'apprendre que ce n'était pas forcément une prostituée. Quant à son âge, même les fantômes ont leurs coquetteries : il se situait entre vingt-cinq et quarante-cinq ans.

Il y avait d'autres précisions. Les cheveux étaient coupés court, avec une mèche retombant sur le front. Le nez était légèrement retroussé, le menton fort et fendu, le visage ovale et les pommettes hautes.

Sans y songer j'avais tiré mon pantabille et commencé à esquisser la silhouette qui peu à peu se précisait à travers les quatre-vingt-deux tableaux de l'ordinateur.

La forme générale donnée en noir, j'ombrai très légèrement le visage avec du rouge et du vert, soulignant les paupières en bleu et les cernes en un gris violacé. A l'état pur le bleu éclatant du stylo à bille convenait admirablement pour la robe.

Quant aux cheveux, je leur donnai hardiment une teinte rouge-Bic que j'aérai par de vigoureuses touches vertes et des blancs ménagés avec soin.

Restaient les prunelles. Appuyant de toutes mes forces, j'en fis deux virgules de vert cru et le regard s'alluma.

Je laissai tomber le stylo, saisi par la vivacité de ces yeux qui se plantaient dans les miens avec une expression légèrement moqueuse. Je ne suis pas un très bon dessinateur, mais la fille sortait littéralement du papier et je crus un instant qu'elle allait sourire.

Je ne pensais même pas à me demander si elle était belle. Sans doute l'était-elle, mais plus que sa beauté, c'était la silencieuse intensité de son visage qui retenait l'attention. Elle attendait et fuyait tout à la fois, appelait la vie et s'enfermait dans un rêve. Je songeai à ma conversation de l'autre jour avec l'ingénieur I.B.M. Critères incompatibles, disait le statisticien. Il y avait de cela dans l'énigme de ce personnage soudain apparu sur ma table de travail.

L'absence de jaune dans la gamme du pantabille m'avait condamné à traduire la vision en teintes plates, froides et un peu cruelles. C'était un portrait sans lumière.

La lumière me fit penser à la fenêtre. Je levai vivement les yeux et perdis le souffle. *Elle était là.*

Poil hérissé, je restai un moment immobile, ne pouvant détacher les yeux de la fine silhouette qui se découpait sur le mur du 169 à côté de la poubelle vide. Puis, comme fasciné, à tâtons, sans quitter la fille du regard, je me levai et gagnai la fenêtre. J'écartai le rideau lentement, comme si je craignais par un geste trop brusque de faire s'évanouir l'apparition.

C'était bien elle. Je reconnus le bleu de la robe. Ses cheveux avaient la même nuance impossible que sur mon dessin et le blanc de sa peau était un blanc papier. Elle était très belle, mais ce qui dans l'image pouvait passer pour une transposition chromatique, prenait dans la vie une effrayante, une horrible réalité.

Elle attendait, agaçant la poubelle vide du bout de sa chaussure et laissant ses yeux errer le long des maisons. Soudain son regard se posa sur moi et je fus comme noyé dans sa lueur verte.

Elle sourit et m'adressa un geste de reconnaissance, puis, perchée sur ses talons aiguilles, se mit en marche le long du trottoir de droite à gauche. Devant le 173, juste sous mes yeux, elle s'arrêta, sourcils froncés, et, prenant appui sur la grille, ôta son soulier gauche pour en examiner le talon. Sa longue jambe nue était peut-être un peu trop mince et blanche, mais d'un galbe parfait. La cheville était fine et le pied bien cambré.

Elle reprit son chemin et s'arrêta de nouveau devant le 175, juste à l'aplomb de ma porte. De nouveau elle me fit un signe et entreprit de traverser la rue, disparaissant ainsi à mes yeux. Aucun doute, elle venait chez moi. Je laissai vivement tomber le rideau et, les nerfs douloureusement tendus, la tête encotonnée, attendis le coup de sonnette.

Dix-huit, dix-neuf, vingt... Rien ne venait. Que faisait-elle derrière la porte ? Lisait-elle mon nom sur la plaque de cuivre ?

A la trentième seconde le charme se rompit. Je me ruai vers la porte et l'ouvris toute grande. Personne. Je fis quelques pas dans la rue. Des voitures descendaient à grande vitesse du boulevard extérieur vers le centre de Bordeaux, mais de la Barrière du Médoc au Jardin public, sur plus d'un kilomètre, les deux trottoirs étaient vides.

A la fenêtre voisine, grande ouverte, j'entendais comme d'habitude le marteau de mon voisin le cordonnier. Je m'approchai de lui et il me fit un sourire aimable sans paraître surpris par mon air égaré.

— Dites, vous n'avez pas vu quelqu'un passer devant votre fenêtre à l'instant ?

— Je n'ai vu personne.

— Il y avait pourtant quelqu'un devant ma porte il y a moins d'une minute.

— Peut-être, mais j'étais au fond de ma boutique en train de travailler à la lustreuse et je tournais le dos à la fenêtre.

— Ah, excusez-moi... je...

— Je n'ai rien vu, reprit-il, mais j'ai tout entendu. Une dame s'est arrêtée devant votre porte. J'ai cru qu'elle était entrée chez vous. D'après sa démarche elle devait être jeune, grande et portait des talons aiguilles. Elle aura des ennuis avec son soulier gauche : la talonnette est fendue. Oh, j'ai l'oreille !

Je balbutiai quelques mots de remerciement et rentrai chez moi. La maison grinçait, cliquetait, craquait, bourdonnait de toutes ses jointures et de tous ses mécanismes. Sur ma table la meute, assise en rond, ricanait pensivement.

Je saisis une feuille de papier à lettres et me mis en devoir d'expliquer à Marc Saporta pourquoi jamais, jamais je ne pourrais écrire sa nouvelle.

L'ÉTAPE

La petite ville était perchée tout en haut de la crête. On n'en voyait qu'une frange de toits et deux ou trois églises dorées par le soleil déclinant. La route montait vers elle à flanc de falaise en deux lacets portés par des arches monumentales, frôlait sa lisière, puis plongeait vers la vallée voisine.

Luce déboîta prudemment et se rangea sous un olivier. Elle coupa le contact pour écouter le chant des cigales qui s'éternisait dans la fin d'après-midi. Toutes les deux ou trois secondes la gifle d'air d'un camion ou d'une voiture ébranlait la petite Honda vert sombre. Cette route était épuisante, trop bonne pour être lente, trop étroite pour être sûre.

Pendant quelques minutes il y eut une accalmie de la circulation. Le silence prit une odeur d'eucalyptus, de pins et d'herbe sèche.

Une bouffée de brise descendit de la montagne.

« Il doit faire bon là-haut », pensa Luce. Il y aurait une place avec une église tarabiscotée, un palais ocre, une banque, une poste, un prisunic et deux cafés aux terrasses bruissantes. Les garçons commençaient à replier les parasols. Les promeneurs du soir prenaient lentement possession de la rue principale, débouchant des portiques, descendant des escaliers. Près du marché où s'attardaient quelques étals de fruits et de fromages, un petit hôtel ouvrait ses volets à la première fraîcheur du soir.

Luce avait encore devant elle plusieurs heures de jour et elle pouvait aisément atteindre le bord de la mer. Le souffle d'un semi-remorque lancé à pleine vitesse secoua la voiture. Sans se rendre compte qu'elle venait de prendre une décision, Luce remit le contact.

L'entrée de la ville, signalée par un simple panneau, était une étroite place triangulaire qui s'ouvrait sur la droite en haut du dernier lacet. Luce vira sec devant le mirador qu'occupait un agent de police vêtu de blanc. Deux rues débouchaient sur la place. L'une qui était interdite par un énorme signal rouge, montait directement vers le centre de la ville et l'on distinguait tout en haut les parasols d'un café devant la façade d'une église. Une flèche blanche sur fond bleu invitait à prendre l'autre rue qui, au contraire, semblait fuir les maisons et redescendre vers la plaine. Surprise, Luce fit vers l'agent un signe d'interrogation. Il se contenta de sourire et de montrer la deuxième rue.

« Gentil sourire, joli garçon », pensa confusément Luce en passant en première. La rue se redressait après le premier tournant, remontait vers la crête et s'engageait dans un quartier d'entrepôts délabrés. Il n'y avait pas d'autres voitures en vue. Au bout d'une centaine de mètres, Luce dut tourner à angle droit devant un poste d'essence abandonné pour obéir aux signaux de sens interdit qui lui barraient toutes les autres issues. Des maisons basses et proprettes bordaient la rue pavée. De temps en temps une vieille sortait sur le pas de sa porte pour regarder passer la voiture et esquissait de la main un geste de bienvenue. Sur une place ronde un groupe d'enfants qui jouait autour d'une fontaine s'égailla en riant et en criant des plaisanteries incompréhensibles.

C'était encore un quartier extérieur, mais les signes d'activité devenaient de plus en plus nombreux, de plus en plus évidents. Enfin Luce vit devant elle le clocher de l'église aperçue à l'entrée. Le virage suivant lui révéla les parasols multicolores et l'étendue encore partiellement ensoleillée d'une place publique. Elle allait s'y engager quand un policier blanc surgit et lui montra du doigt un panonceau fixé au mur de l'église : *Interdit à toute circulation à partir de 18 heures.* Comme le premier il était jeune et souriant.

— Par où dois-je passer ? lui cria Luce en lui rendant son sourire.

La ruelle que lui indiqua le policier semblait contourner l'église, mais à moins de cinquante mètres une coupure pour travaux déviait la circulation vers la droite.

Quelle circulation ? Depuis bientôt un quart d'heure qu'elle errait dans la ville, Luce n'avait vu d'autre voiture que la sienne.

Le quartier qu'elle traversait maintenant était plus peuplé. La plupart des magasins d'alimentation étaient encore ouverts. Par endroits les piétons débordaient sur la chaussée. Ils s'écartaient de la voiture avec gentillesse et Luce au passage entendait parfois le compliment rieur que lui lançait un groupe de jeunes gens. On sentait sur la gauche la présence d'une artère plus importante et bientôt en effet les rues latérales laissèrent entrevoir à quelques mètres le flot des passants devant les vitrines éclairées, mais toutes étaient interdites à la circulation.

La lumière du jour commençait à baisser quand Luce déboucha sur la place du marché. Elle était presque vide, mais quelques paysannes étaient encore accroupies derrière leurs étals de fruits et de fromages. Instinctivement Luce chercha l'hôtel des yeux. Il était bien là, de l'autre côté de la place, avec ses balcons bas et ses fenêtres entrouvertes. La place était barrée sur toute sa largeur par trois marches qui en isolaient la partie supérieure où se trouvait l'hôtel.

Laissant la voiture, Luce gravit les marches sous le regard curieux des paysannes qui chuchotaient entre elles. Le patron de l'hôtel, en veste blanche de cuisinier, fumait une cigarette sur le pas de la porte.

— Vous avez une chambre ?

— Voyez ma femme à l'intérieur. C'est votre voiture, là-bas ?

— Oui.

— Ne la laissez pas là. Le stationnement est interdit.

— Pour quelques minutes...

— Faites vite, alors.

La chambre était confortable et claire. Luce ne put réprimer un cri d'admiration quand la patronne ouvrit la porte-fenêtre qui donnait de plain-pied sur un jardin en terrasse dominant la vallée. La lumière du soir découpait en dessins géométriques sur la pâleur des chaumes les pinèdes noires et les olivettes bleues.

— Vous serez tranquille ici, ma petite dame, dit la patronne, maternelle.

— Je crois. Il faut que j'aille chercher mon sac dans la voiture.

— Vous avez une voiture ? Où l'avez-vous laissée ?

— Sur la place.

— Alors allez vite, mon Dieu, allez vite ! Mettez-la au parking municipal !

— Où est-ce ?

— Vous allez tout droit, vous prenez la deuxième à gauche, vous suivez jusqu'à l'abattoir, vous remontez la promenade jusqu'à la chapelle, vous faites le tour de la chapelle par l'ancien chemin de ronde, vous débouchez sur le foirail et c'est là, juste en face, sous les platanes. Mais allez vite, allez ! Mon Dieu, il est peut-être déjà trop tard !

Elle la poussait à travers la salle de restaurant. Prise d'une peur irraisonnée, Luce courut jusqu'à la voiture. Au moment où elle démarrait, elle aperçut un policier blanc qui se dirigeait vers elle. Il lui fit un signe du doigt, mi-plaisant, mi-sérieux, comme pour la réprimander.

Quelques instants plus tard elle était perdue dans un dédale de ruelles. A gauche... à droite... Les maisons se resserraient à chaque tournant comme pour lui bloquer la route. Il n'y avait plus personne sur le pas des portes. Un crépuscule gris montait des pavés et envahissait les façades.

Soudain elle se trouva en pleine lumière du soir sur une sorte d'esplanade semi-circulaire bordée par une balustrade de pierre moussue. La ville s'arrêtait là, en bout de crête. Sur un mirador, au centre de l'esplanade, Luce reconnut la silhouette blanche, maintenant familière, d'un agent de la circulation. Derrière lui, près de la balustrade, un immense panneau se détachait sur le ciel. AVIS AUX AUTOMOBILISTES, déchiffra Luce à contre-jour. Elle arrêta la voiture et descendit, ignorant l'agent qui la suivait des yeux. L'inscription du panneau était en lettres bleues sur fond blanc :

AVIS AUX AUTOMOBILISTES

DANS CETTE VILLE TOUTE INFRACTION
AU CODE DE LA ROUTE
OU AUX RÈGLEMENTS DE LA CIRCULATION
EST PUNIE DE MORT

Luce relut la dernière ligne, puis se retourna vers l'agent :

— C'est une plaisanterie ?

— Vous croyez ?

Sa bouche mince souriait, mais ses yeux — bleu clair ? gris pâle ? — avaient l'inflexible tranquillité du métal.

— Mais enfin, c'est insensé ! Qui a décidé cela ?

— Les gens d'ici.

— Ils sont fous !

— C'est bien possible.

— Vous n'êtes pas d'ici ?

— Non.

Il consulta sa montre.

— Vous êtes ici depuis sept minutes. Le stationnement sur cette place est limité à dix minutes. Vous feriez bien de partir.

— Et si je restais ?

— Essayez.

La bouche souriait toujours. Luce fit un pas vers la voiture.

— Et le parking municipal ? Je ne l'ai pas trouvé.

— C'est pourtant facile. A quel hôtel êtes-vous descendue ?

— A celui de la place du Marché.

— Le parking est juste à côté.

— Mais on m'a fait faire le tour de la ville !

— C'est à cause du sens giratoire.

Au bord des larmes, Luce ouvrit la portière, s'installa au volant et mit le contact. Le policier descendit du mirador. Sanglé dans son uniforme blanc, un énorme étui à pistolet de cuir blanc battant sa cuisse, il ressemblait davantage à un officier en tenue de parade qu'à un agent de la circulation. Il s'inclina légèrement.

— Mon service est terminé. Je loge au

même hôtel que vous. Si vous le désirez, je puis vous conduire.

— Je... J'ai changé d'idée. Je vais continuer ma route.

— De toute façon, pour sortir de la ville il faut passer par le parking.

Les mains raidies sur le volant, Luce observait son guide à la dérobée. Il avait ôté son casque et fumait une cigarette. Sentant son regard, il se tourna vers elle et lui sourit. Le sourire avait perdu sa minceur et les yeux y participaient, des yeux plus sombres et plus chauds qu'il n'avait d'abord semblé à Luce. Malgré le crâne ras et les pommettes osseuses, c'était un visage très jeune. Tous les policiers que Luce avait vus étaient jeunes.

— Vous êtes beaucoup d'agents dans cette ville ?

— Quinze.

— C'est énorme.

— Il faut que tout le monde vive.

— Dites, cette histoire de peine de mort, je ne sais pas si c'est une plaisanterie de mauvais goût, mais rien que l'idée, c'est... c'est horrible.

— J'ai vu pire.

Le visage était redevenu sérieux.

— Où cela ?

— Ailleurs. Voici le parking. Vous pouvez

laisser la voiture sous ce platane. L'entrée de l'hôtel est à gauche, sous l'arcade.

Il descendit de la voiture et se pencha vers la portière.

— Je vous signale que ce parking ferme à vingt et une heures, mais mon collègue ne passe pas avant la demie. Ensuite, il faut que vous alliez au garage de nuit.

— C'est insensé ! Il n'y a aucune autre voiture ici. Je ne gêne personne !

— C'est le règlement. Faites comme vous voudrez.

— Où est le garage de nuit ?

— De l'autre côté de l'hôtel.

— Et je suppose que je dois refaire le tour de la ville ?

— Il vous suffira de retourner à l'esplanade où nous étions et de prendre la rue du fond. Le parcours est jalonné. Bonne soirée.

Ce fut une bonne soirée. Il y avait deux cafés sur la place de l'Eglise, mais aussi une douzaine de petits bars dans les rues avoisinantes et chacun possédait sa spécialité en matière d'amuse-gueule pour accompagner l'apéritif. Luce était très gaie quand elle s'assit à la table du dîner. Elle se souvenait confusément d'avoir échangé des plaisanteries avec un groupe de villageois qui vendaient sur la place des épis de maïs grillés sous la cendre. A deux tables d'elle le monsieur encravaté qui, de terrasse en terrasse, l'avait accompagnée de ses compliments, ne la quittait pas des yeux. Elle l'ignora. Le policier avait dit qu'il habitait l'hôtel, mais il n'était pas dans la salle.

Le vin du pays était fruité et sec. Luce en terminait la dernière goutte quand elle s'aperçut qu'il était neuf heures cinq à la pendule de la salle à manger. Cendrillon prise en faute, elle pensa soudain à sa voiture. A quoi bon ? Toutes ces histoires de garages et de parkings avec peine de mort ne tenaient pas debout. Pourtant, la tête brumeuse et hilare tout à la fois, elle se leva, consciente au fond d'elle-même d'une lointaine panique. D'un pas trop assuré pour être naturel, elle se dirigea vers la sortie.

En arrivant sur le foirail, elle crut apercevoir une forme blanche près de la voiture. Son cœur se mit à battre violemment. Ce n'était qu'une plaque d'écorce claire sur le tronc d'un platane. Soulagée, elle éclata de rire en se traitant de folle.

Regagner l'esplanade ne fut pas facile, mais Luce y parvint sans trop tâtonner. Elle s'habituait au jeu du labyrinthe et commençait même à y prendre goût. A partir de l'esplanade le chemin du garage de nuit était jalonné par des flèches comme l'avait dit le policier.

On apercevait le garage de très loin, rectangle de lumière blanche au bout d'une rue sombre. Luce arrêta sa voiture à proximité du portail et descendit. La portière claqua dans le silence. Sans doute y avait-il un gardien. Elle appela, mais sa voix se perdit dans la nuit.

Elle domina une légère angoisse. La nuit n'était pas très sombre après tout. La lune devait se lever quelque part au-delà des maisons. Un bruit d'assiettes lui parvint, rassurant, puis un éclat de voix. L'hôtel était trop proche et le mur bas qui bordait la rue à droite était celui du jardin où donnait sa chambre.

Trois pas l'amenèrent devant le portail béant. Sous la lumière crue des tubes au néon des dizaines de voitures la regardaient, immobiles, étincelantes, sans une trace de poussière. Travée après travée elles étaient rangées en files interminables, conduites intérieures, coupés de sport, breaks, fourgons, camions. Il y avait même un autobus de ligne. Pas une odeur d'huile ou d'essence, rien que du métal dur, brillant et mort à perte de vue. Cimetière et musée, exposition de jouets géants, nécropole de mécaniques pétrifiées...

La paralysie de Luce fondit soudain en épouvante. Elle étouffa un hurlement dans ses mains serrées sur sa bouche. Tournant les talons sous les yeux grands ouverts des cent phares au regard mort, elle s'enfuit droit devant elle. Au-delà du rectangle de lumière que taillait dans la rue le portail, la nuit claire la reprit sous sa protection. Elle ralentit son allure, écoutant les rumeurs rassurantes qui venaient de l'hôtel.

Quand elle arriva dans sa chambre, l'aventure déjà lui paraissait un souvenir cocasse et lointain. Avoir peur d'un garage ! Elle sourit en allumant une cigarette. Les fleurs sur le mur, les draps blancs, la lampe de chevet avec ses fanfreluches roses disaient la douceur ensommeillée des nuits fraîches. Du jardin venaient des parfums de feuillages reposés. Elle ouvrit toute grande la porte-fenêtre et s'avança sur la terrasse. Une vive lueur sur la gauche indiquait la direction du garage et ce reflet sur un chrome, ce devait être sa voiture qu'elle avait laissée près du portail.

Une légère balustrade de bois séparait la terrasse du jardin. Luce alla s'y accouder. Un quartier de lune était suspendu au-dessus de la plaine piquetée de lumières. A quelques pas dans le jardin une cigarette rougeoya.

— Bonne soirée ?

Le policier était adossé à un arbre. Il se déplaça légèrement pour regarder Luce. En chemise de sport et pantalon clair, il paraissait plus jeune et plus mince qu'en uniforme.

— Très bonne, merci...

Luce hésitait à parler du garage. Après tout

un garage est fait pour contenir des voitures. L'étonnant était qu'il y en eût tant dans celui-là et si peu en ville.

— En fin de compte, vous avez décidé de rester.

— Oui, j'étais stupide.

— Vous regrettez ?

— Non, certainement pas... non...

Il vint s'accouder à la balustrade.

— Cigarette ?

— Merci.

Le regard était très doux, très calme, apaisant...

— Comment vous appelez-vous ?

— Luce. Et vous ?

— Rolf.

— Ce n'est pas un nom d'ici.

— Non, pas d'ici.

Les cigarettes étaient toutes proches l'une de l'autre, enlaçant leurs fumées dans l'air tranquille. Leurs regards se croisèrent, s'enlacèrent aussi. Une question, une réponse passèrent dans un sourire ébauché. Rolf sauta par-dessus la balustrade.

Il s'en alla un peu avant l'aube. Quand Luce tourna vers lui un visage ensommeillé, il fit vers elle un geste tendre, puis disparut dans l'ombre de la terrasse.

Longtemps après, le plateau du petit déjeuner la réveilla. Le soleil était déjà haut sur l'horizon. Sortant sur la terrasse, elle vit les deux cigarettes à demi consumées que Rolf et elle avaient laissé tomber la veille au soir près de la balustrade. Une brume de chaleur montait de la plaine. Elle évoqua la plage blonde qui l'attendait au bout de la route. Il ferait bon se baigner, puis prendre le soleil sur le sable. Au-delà des arbres, par-dessus la murette, elle voyait la silhouette vert sombre de sa voiture se détacher sur le mur du garage.

Avant de reprendre la route, elle fit le tour du marché et acheta une livre de pêches. Elle en mangeait une à pleines dents quand elle arriva devant le garage dont le portail était maintenant fermé. Rolf, sanglé dans son uniforme, l'attendait à côté de la voiture. En souriant elle lui tendit une pêche.

La bouche mince répondit au sourire, mais non les yeux.

— Il est interdit de stationner à l'extérieur du garage, dit Rolf tandis que sa main montait lentement vers l'étui à pistolet. C'est une infraction et la peine est immédiatement applicable.

MÉTHODE POLYSCHIZOÏDE

Cyril laissa tomber la dernière goutte de whisky dans le verre. Elle fit un floc intermédiaire entre un fa dièze et un sol naturel.

Il arrêta le magnétophone et vida le verre. Ce n'était pas du très bon whisky, mais avec la consommation qu'il en faisait il ne pouvait pas se permettre les meilleures marques.

La main sur l'estomac pour calmer une brûlure naissante, il écarta la persienne et regarda le ferry d'Algésiras qui manœuvrait pour prendre l'entrée du port. Tanger dormait sa sieste, blanche sous le soleil blanc. Au fond du jardin, la bonne berbère étendait du linge. Pour la millième fois, Cyril se demanda ce qui diable en elle lui rappelait Margaret. Le menton peut-être, poupin et volontaire, ou les yeux globuleux sous les paupières charbonneuses, ou plutôt la lèvre supérieure, longue et plate, toujours tendue sur un sourire pincé.

Mais Margaret, elle, était jolie... *attractive*... Elle avait...

Un violent désir de Margaret monta en lui comme une volée de harpe soutenue par un grondement de timbales.

Il frissonna et déclencha la marche arrière du magnétophone. Son travail de la journée représentait environ deux minutes d'audition. C'était une série d'éléments sonores à base de whisky : glouglous, barbotements, clapotis, goutte à goutte.

Tandis que la bande s'enroulait, il se mit à feuilleter un vieux numéro du *Times*. Il commençait toujours par les annonces et n'avait jamais cessé de regretter qu'on les eût exilées de la première page. Le mot *psychanalyse* venait de passer devant ses yeux quand le battement rageur de l'amorce l'avertit que la bande était enroulée.

Il rangea la bobine et en choisit une plus grosse. Elle contenait toute la première partie de l'œuvre à laquelle il travaillait depuis près d'un an. La texture sonore en était entièrement à base de liquides : brisants sur les rochers du cap Spartel, pluie d'orage sur la terrasse, gargouillis de bouteilles en plongée sous-marine et surtout whisky.

Il fit défiler la bande jusqu'à la fin du premier mouvement. Le passage était bon, tout en fluidités étranges et dissonantes, sans l'ombre d'une tentation anecdotique ou d'une facilité scripturale. Mais cela tournait court. D'une manière ou d'une autre il fallait sortir de cet écoulement sans fin de la matière sonore. Peut-être avec des gouttes très amplifiées, très lentes... plouk... plouk... plouk... et puis la dernière, avec des harmoniques complexes... ploïnk... et puis un fracas de brisants à l'envers... shaouv... un autre... shaouv... et un dernier à l'endroit... vouash.. avec un coup de tonnerre assourdi comme un roulement de timbale qui..

Non! il donna un coup de pied dans le magnétophone qui s'arrêta. Toujours la même chose! Toujours l'ornière de ces conclusions à la papa! Toujours ces flonflons mécaniques à la manière de Wagner, Xénakis ou Beethoven! Bon Dieu, n'y avait-il pas moyen d'échapper à l'éloquence des vieilles barbes?

Il y avait encore une bouteille de whisky dans le placard. Cyril s'en servit un plein verre sans enregistrer cette fois et se laissa tomber sur le divan.

Pas la peine de s'être exilé à Tanger si c'était pour continuer à écrire de la musique respectable! Tout le drame était là. A trente ans passés, Cyril n'avait jamais encore écrit la musique qu'il rêvait d'écrire et qu'il entendait gronder prisonnière quelque part entre son gros orteil gauche et son temporal droit.

Le talent ? Pah ! Il vida le verre. C'était le talent qui le tuait. N'ayez jamais de talent. Son père et sa mère étaient béats quand à six ans il improvisait des fugues sur le piano familial. Pensez : un petit Mozart chez les Anderby, agents de change dans Threadneedle Street de père en fils ! Premier prix de musique à la *Grammar School* de Lower Sloecombe, premier prix au Conservatoire, premier prix...

Il n'avait même pas eu besoin de terminer ses études. A seize ans il dirigeait l'orchestre de la B.B.C. pour la création de son *Oratorio Cantabile, opus 12.*

Cantabile... à vomir ! Il chassa la nausée avec un autre verre. Quoi qu'il fît, c'était toujours de la musique respectable qui sortait de ses doigts, pas sa musique à lui, pas celle qu'il entendait par tous les nerfs de son corps.

Il y avait un barrage, voilà. C'est ce que lui disait Larrabezua, ce jeune psychiatre espagnol dont il avait fait connaissance à Tanger. Son cas relevait de la psychanalyse.

Cela ne datait pas d'hier. A dix-neuf ans il avait essayé de se révolter et de monter une formation de guitares électriques style blousons noirs. Ce fut un triomphe des concerts classiques.

Il remplaça les guitares par des casseroles, des bouteilles vides et des sacs de clous. Le critique de l'*Observer* écrivit : *Sous les appa-*

rentes provocations de Cyril Anderby on distingue les solides et profondes traditions de la musique de chambre dont la structure mélodique transparaît à travers l'invention rythmique libérée des contraintes de la tessiture orchestrale. On se croit plongé dans un chaos de bruits élémentaires et l'on s'aperçoit qu'on est au cœur de l'univers musical de Bach.

Le soir même Cyril s'engageait à bord d'un baleinier norvégien. Il y fit trois campagnes dans l'Antarctique. Quand il revint, tout le monde l'avait oublié, sauf ses parents et Margaret. Il aurait mieux valu que Margaret l'oublie aussi.

Il soupira et reprit le vieux numéro du *Times*. De nouveau le mot *psychanalyse* lui sauta aux yeux. C'était une annonce très discrète :

> PSYCHANALYSE à domicile par la méthode polyschizoïde. Essai gratuit de huit jours. Ecrire Nordmann. B.P. 707, Zurich.

Polyschizoïde... le mot avait une bonne sonorité. Inutile probablement de le chercher dans le Webster. Polyschizoïde, hein ? Du bout des doigts il composa le numéro de Larrabezua.

— Polyschizoïde ? Non, je ne vois pas. Où as-tu trouvé ça ?

Cyril lut l'annonce.

— Psychanalyse à domicile, ça sent l'escroquerie.

— Pas dans le *Times !*

— Ah bon ! Tu as l'intention d'essayer ?

— Pourquoi pas ?

— Méfie-toi. Si c'est gratuit, ce n'est pas de la vraie psychanalyse.

Cyril écrivit à Zurich le soir même. Le lendemain il reçut une lettre de Margaret qui étudiait la sociologie à Nanterre.

Ta contestation musicale, écrivait-elle, *se situe sur le plan d'une imposture basique. L'éclatement des structures de la musique bourgeoise passe par la conquête des moyens de production sonore par le prolétariat. Les exigences de la société de consommation dont tu es complice, ne peuvent que déboucher sur une esthétique fondamentalement conne.*

Le dernier mot était en français et Cyril dut recourir à Larrabezua pour en connaître le sens. Quand il fut éclairé, il s'avoua qu'il était d'accord. En ce qui concernait la société de consommation, en tout cas, il lui suffisait de regarder les bouteilles vides alignées devant la fenêtre pour se sentir coupable.

Il se sentait toujours coupable devant Margaret. Cela remontait à l'époque où Margaret n'était encore qu'une petite fille qui lui faisait d'abominables grimaces par la fenêtre de la salle de bains, pendant qu'il travaillait au piano dans sa chambre.

A Lower Sloecombe, les Benson étaient les voisins des Anderby. Leur salle de bains ouvrait juste en face de la chambre de Cyril. La mère de Margaret était choriste à Covent Garden et donnait des leçons de musique. Depuis sa première enfance, Cyril se souvenait de l'avoir entendue vocaliser le matin à sa toilette et souvent il avait été réveillé par la chevauchée de la *Walkyrie* ou la valse de la *Traviata*.

Quinze jours plus tard, Cyril écarta de nouveau la persienne après avoir enregistré une série de tintements de cubes de glace dans un verre de whisky. Le ferry d'Algésiras entrait dans le port. Un fourgon bleu occupait toute la largeur du pont.

Comme Cyril achevait d'écouter sa bande, il entendit un rugissement de moteur dans la montée derrière la maison. Puis ce fut le silence et soudain éclatèrent les cris perçants de la bonne. Elle accourait, affolée, du fond du jardin. Cyril descendit à sa rencontre.

Par la porte ouverte on apercevait l'énorme masse du fourgon bleu qui bloquait la ruelle. Derrière la bonne, un grand gaillard remontait l'allée. Il repoussa du doigt sa casquette sur ses cheveux blonds et considéra Cyril d'un air paisible.

— Herr Anterpi ?

— Hein ?... Euh... oui. Anderby, c'est moi Anderby, Cyril Anderby...

L'autre tourna la tête vers la rue et hurla :

— *Alle raus !*

Puis il tira un papier bleu de sa poche et le tendit à Cyril.

— *Unterzeichnen, bitte.*

Le papier ressemblait à un reçu et Cyril le saisit machinalement. C'est en voyant l'en-tête qu'il comprit.

— Nordmann, Zurich. C'est au sujet de la lettre que j'ai envoyée, je suppose ?...

— *Ja,* huit chours. *Ich komme zurück* huit chours, *verstanden ? Unterzeichnen, bitte.* Zignature !

— Mais que m'apportez-vous ? Je voudrais...

Le regard bleu du livreur était parfaitement inexpressif. Cyril sentit monter une vague de colère.

— J'ai tout de même le droit de savoir...

Il s'interrompit, bouche bée. Une trappe venait de s'ouvrir dans le flanc du fourgon et une file d'hommes commençait à en descendre. Ils entraient dans le jardin puis remontaient l'allée d'un pas lent, uniforme, presque mécanique. Avant que Cyril ait eu le temps de réagir, ils étaient déjà une douzaine qui s'égaillaient sans hâte et apparemment sans but entre les buissons, et l'on en voyait d'autres encore qui descendaient par la trappe ouverte.

— Qui sont ces gens ?

Le grand gaillard blond jeta un regard vers les nouveaux venus.

— *Hinein ! Schnell !* aboya-t-il.

Une sorte de frisson parcourut le groupe et la file se reforma, prenant le chemin de la maison. A mesure qu'il passait à la hauteur de Cyril, chacun des étranges visiteurs levait vers lui des yeux vides où s'allumaient une fugitive lueur d'intérêt.

— *Ein... zwei... drei... schneller !... vier...* comptait le livreur.

Il y avait là des hommes de tous les âges, des enfants même, vêtus de manière hétéroclite. Le troisième de la file, qui ne devait guère avoir plus de douze ans, portait un blazer démodé aux couleurs de la *Grammar School* de Lower Sloecombe. Il était immédiatement suivi par un grand vieillard aux cheveux argentés, vêtu d'un short futuriste et d'un frac bleu nuit au revers duquel pendait une brochette de décorations. L'avant-dernier était un tout petit enfant qui marchait à peine et donnait la main à un adolescent boutonneux. Lentement ils montèrent les marches et disparurent dans la maison.

— *Vierundzwanzig*, dit le livreur. *Vertig ! Unterzeichnen, bitte !*

Il tendait un stylo à bille. La bonne berbère, un baluchon sous le bras, jaillit de la maison comme une folle et s'enfuit en courant vers la rue. Dès qu'elle eut passé la porte, elle se mit à hurler.

Machinalement Cyril saisit le stylo à bille et signa. Le livreur détacha la partie inférieure du reçu et la lui tendit.

— Huit chours, *ich komme zurück, verstanden?*

— Mais voulez-vous m'expliquer...

L'autre avait déjà tourné les talons. La porte du jardin claqua derrière lui. Le rugissement du fourgon s'enfla, décrut, puis se fondit dans la rumeur de la ville. On n'entendait plus les hurlements de la bonne. Seul sous le soleil blanc, Cyril aurait pu croire qu'il avait rêvé. Le petit carré de papier bleu portait simplement la mention : *Nordmann, Zürich. Prüfung. Gültig eine Woche.*

Il fit demi-tour et s'arrêta sur le pas de la porte. Quelqu'un jouait du piano. L'air avait quelque chose de familier... si, ré sol, sol, la... la, sol, fa dièze, sol... Une voix souligna la phrase musicale. Cyril pénétra dans le salon. Un des nouveaux venus était assis au piano et jouait avec application. A contre-jour son visage était à peine discernable. C'était une garçon d'une quinzaine d'années.

— Qui êtes-vous ? Que faites-vous là ? demanda Cyril.

L'autre leva vers lui des yeux tranquilles.

— Chut ! Je compose.

— Qu'est-ce que vous composez ?

— Un oratorio... *cantabile*...

— Mais...

Un vacarme de craquements et de sifflements éclata dans la pièce voisine.

— Le magnétophone ! cria Cyril. Ne touchez pas à la bande ! Vous allez l'effacer !

Ils étaient deux à peu près du même âge — vingt-cinq à trente ans — qui se ressemblaient contradictoirement comme des jumeaux non-identiques, cheveux longs et chemise psychédélique de *hippie* contre raie à droite, cravate sage et veston de tweed.

— En faisant passer la bande à l'envers, c'est encore acceptable, disait le premier.

— Non, répondait l'autre, la composition est valable, mais elle manque de structuration.

Cyril passa entre eux et coupa le magnétophone.

— Ne touchez pas à ça, bon Dieu ! Je n'ai pas de copie !

— C'est de vous ? demanda le *hippie*.

— Oui, et j'ai eu assez de mal.

— J'aime, dit le second, mais vous devriez mieux soigner la conclusion de votre exposé. Elle manque de rigueur.

Son compère secoua la tête.

— Justement, il faut se dégager des contraintes.

— On ne va pas contre sa nature.

— Qu'est-ce que vous savez de la nature de Cyril Anderby ?

Ils se considérèrent mutuellement d'un air hostile.

— *Gentlemen*, dit Cyril, si vous êtes des psychiatres...

— Des psychiatres ? bah ! des blancs-becs, mon garçon, des blancs-becs...

La voix venait d'un fauteuil situé dans le coin sombre de la pièce. Les cheveux argentés du vieillard en frac luisaient dans la pénombre. Du verre qu'il tenait à la main il montra les deux amateurs de musique.

— Ne les écoutez pas, mon garçon, ils ne comprendront jamais rien à Cyril Anderby, ni à sa musique... Hum, c'est votre whisky ?

— Je crois... oui...

— Hum, pas fameux, hein ? Rien ne vaut le quinze ans d'âge.

— Je n'ai pas les moyens...

— Cela viendra, cela viendra, mon garçon. J'ai commencé comme vous et maintenant voyez où j'en suis. Mon opéra *Moby Dick* que j'ai écrit il y a vingt ans en est à sa trois millième représentation !

— Vous êtes...

Un hurlement d'enfant blessé dans le salon l'empêcha de terminer sa phrase.

— C'est encore ce damné petit bâtard qui fait des siennes, grommela le vieillard en se dirigeant à grandes enjambées vers la porte.

Cyril le suivit, accompagné des deux hommes qui semblaient maintenant se désintéresser du magnétophone.

L'adolescent aux yeux tranquilles avait disparu et sa place sur le tabouret était occupée par le petit enfant que Cyril avait aperçu dans la file. Le couvercle du piano s'était rabattu sur ses doigts.

— Là, là, les grands garçons ne pleurent pas, dit le vieillard. C'est le métier qui entre. Vous avez de l'eau, Cyril ?

— A la cuisine.

— S'il vous plaît.

A la cuisine Cyril ne fut pas surpris de trouver deux nouveaux occupants. Le garçonnet au blazer jouait en sourdine sur un harmonica la chevauchée de la *Walkyrie* tandis qu'un homme d'une quarantaine d'années au visage couperosé par l'alcool pianotait sur la fenêtre un rythme de jerk. Ni l'un ni l'autre ne parurent faire attention à Cyril qui saisit une carafe et retourna au salon.

L'enfant semblait calmé. Il suçait son doigt meurtri et de l'autre main tapotait sur le piano.

L'égrènement des notes rappelait le goutte-à-goutte du whisky.

— Un petit Mozart, déclara le vieillard. Il a de la classe, mais il manque encore de métier. Non, mon petit, non... ici un do dièze... fa... sol... et tu reprends le thème... Attention au rythme ! c'est du six-huit... la, la, la... la... et pour conclure...

Se penchant sur le clavier, il plaqua d'une main légère un accord de tierce mineure. L'enfant le considéra d'un air mauvais, puis, sortant son doigt de la bouche, cogna à deux poings fermés sur le piano qui émit un grondement de ferraille.

— Bien joué ! s'écria le *hippie*. Il vous a eu, Cyril !

— Sir Cyril pour vous, s'il vous plaît, déclara dignement le vieillard qui se tourna vers l'homme en veste de tweed. Avez-vous essayé le whisky de la maison, Anderby ?

— Pas encore, Sir Cyril.

— Il n'est pas fameux, mais permettez-moi de vous en offrir un verre.

L'enfant descendit de son tabouret, tira la langue à Cyril et se dirigea vers la porte du fond.

— Où vas-tu, Cyril ? cria le *hippie* en se lançant à sa poursuite. On ne peut pas perdre ce galopin de vue un instant !

Cyril emboîta le pas machinalement. Ils

retrouvèrent l'enfant dans la salle de bains. Il était grimpé sur le lavabo et, penché à la fenêtre, semblait surveiller quelque chose à l'extérieur.

— Il vaut mieux le mettre au lit, dit le *hippie*. Vous avez bien un placard ou un machin dans ce genre ?

— Euh... il y a la chambre de la bonne. Je crois qu'elle est partie.

— Très bien, très bien. Occupez-vous de lui. Moi, je vais faire un tour dans le jardin. La nuit est belle.

— La nuit ?

Depuis combien d'heures durait l'étrange aventure ? Le marmot se laissa coucher sans trop de peine. Seul dans le vestibule, Cyril regarda sa montre et vit qu'elle marquait onze heures. Soudain écrasé de fatigue il se demanda confusément que faire. Téléphoner à Larrabezua ? Il se souvint que le docteur était pour une semaine en déplacement à Ceuta. La police ? Que lui dire ? On le considérait déjà comme assez suspect et les hurlements de la bonne n'avaient pas dû arranger ses affaires. Du Grand au Petit Zocco toute la ville basse devait être au courant, y compris la police, bien sûr. Par la fenêtre du salon il jeta un coup d'œil dans la ruelle. Une voiture surmontée d'un clignotant bleu stationnait au tournant. Rien à espérer de ce côté-là.

Il soupira et passa dans la pièce voisine pour prendre un verre. L'homme au faciès d'alcoolique ronflait, bouche ouverte, dans un fauteuil, une bouteille vide à ses pieds. Cyril alla boire à la cuisine. Un corps était allongé sur la table, un autre dessous.

Dans sa chambre, il ne fut pas surpris de trouver plusieurs visiteurs vautrés un peu partout. Le lit lui-même était occupé par un homme qui avait enfilé le pyjama de Cyril. Sur son visage détendu flottait un lointain sourire. Assis sur le bord du lit, Cyril le considéra longuement. Il ne l'avait pas encore rencontré au cours de l'après-midi. Les traits étaient jeunes — vingt, vingt et un ans peut-être, l'âge de Cyril quand il avait quitté l'Angleterre après l'article de l'*Observer*. Et soudain Cyril eut l'impression de regarder son propre visage à cette époque. L'inconnu lui ressemblait comme un frère cadet... davantage encore... c'était comme s'il se voyait lui-même dans le miroir du temps... Il se pencha dans la pénombre.

C'est alors que le sommeil le prit. Un toussotement le réveilla.

— Ahem... euh... mon garçon, pouvez-vous me dire où l'on sert le breakfast ? Pour moi deux œufs à la coque, un thé léger et des toasts. Je me suis permis d'emprunter votre rasoir.

Sir Cyril paraissait de bonne humeur. Il faisait grand jour et le réveil sur la table de chevet marquait dix heures. On entendait le marmot qui poussait des cris du côté de la cuisine. Le *hippie* fit irruption dans la pièce.

— Oh, Cyril, voulez-vous me donner un peu d'argent ? Il faut cinq bouteilles de lait, deux douzaines d'œufs, trois pains et une livre de beurre. Il y a assez de thé, mais on manquera de sucre demain.

Cyril passa péniblement la main sous sa fesse droite et tira son portefeuille.

— Merci !

— Hé, dites !... cria faiblement Cyril, mais l'autre avait déjà disparu avec le portefeuille.

Dans le couloir, le garçon au blazer passa au galop en vociférant la chevauchée de la *Walkyrie*.

— Cyril ! cria Sir Cyril. Un peu moins de bruit, s'il vous plaît !

Une migraine montait lourdement sous l'arcade sourcilière gauche de Cyril.

— Vous vous appelez tous Cyril ? demanda-t-il.

— Comment voulez-vous que nous nous appelions, mon garçon ?

— Je m'appelle Cyril, Cyril Anderby.

Le vieillard s'inclina légèrement.

— Et moi Sir Cyril Anderby, *how d'you do ?*

— Où sont les autres ?

Il songea soudain à son sosie, mais le lit à côté de lui était vide.

— Les autres ? Oh, ils sont un peu partout, je suppose. Cyril termine son oratorio. Cyril et Cyril écoutent des disques sur la terrasse. Cyril est encore dans la salle de bains en train de regarder par la fenêtre. Cyril jouait à l'instant dans le couloir. Cyril...

Un gong retentit en bas.

— La dièze, dit Sir Cyril en faisant la grimace. Cyril sait pourtant que j'ai horreur de cette note. Vous venez, mon garçon ? *Breakfast, you know.*

Cyril essaya de se lever, mais la migraine explosa dans sa tête comme un coup de cymbale. Il prit au hasard un tube dans le tiroir de la table de chevet et avala une poignée de comprimés.

Il s'éveilla vers le milieu de l'après-midi, l'esprit clair et lucide, conscient d'avoir fait un rêve baroque. Souriant et sifflant la valse de la *Traviata*, il se dirigea vers la salle de bains. Une bonne douche chasserait les derniers phantasmes.

La première chose qu'il vit fut le marmot qui, perché sur le lavabo, regardait par la fenêtre. Cyril passa la main sur sa figure, soupira et revint sur le palier. D'en bas montait une rumeur de foule parmi les notes de l'*Oratorio Cantabile.*

Il se souvenait parfaitement. C'était celui qu'il avait composé quinze ans plus tôt. Ces gens-là connaissaient les moindres détails de son existence. Assis en tailleur sur son lit, il tenta de mettre de l'ordre dans ses idées. Tout cela faisait évidemment partie de la cure psychanalytique. Chacun des visiteurs disait s'appeler Cyril Anderby, c'était clair. Un autre dénominateur commun était la musique. A part cela, les différences entre eux étaient sensibles, l'âge surtout. Ils avaient un air de famille, mais alors que certains restaient étrangers à Cyril, d'autres évoquaient des détails précis de son existence. Tantôt il s'agissait d'une simple allusion, comme l'oratorio ou cet opéra sur *Moby Dick* auquel il avait songé après ses campagnes à bord du baleinier. Tantôt c'était une réminiscence plus précise pouvant aller jusqu'à cette ressemblance troublante qui l'avait frappé dans les traits du dormeur. Dommage qu'il n'ait pu lui parler. En lui peut-être était la clef de ce mystère confus. Il était certainement quelque part dans la maison. Cyril se leva, décidé à le découvrir.

Le marmot se mit à hurler dans la salle de bains. La porte s'ouvrit violemment et l'homme en veste de tweed fit irruption dans la chambre.

— *Damn it all, Cyril!* Vous pourriez un

peu surveiller Cyril ! Il s'est encore fait une bosse !

Suivi d'une demi-douzaine d'autres, le *hippie* entra à son tour et apostropha son jumeau :

— Cyril, laissez donc Cyril tranquille ! Il a besoin de repos. Cyril s'occupe de Cyril.

— Et Cyril ?

— Il est avec Cyril et Sir Cyril.

Cyril s'étendit sur le dos et regarda le plafond. Le visage de l'alcoolique se pencha vers lui.

— Vous devriez prendre un whisky, Cyril, mais toutes les bouteilles sont vides.

— Il y en a une caisse au garage, dit faiblement un Cyril, mais lequel ? Lui, Cyril, ou un autre cyril qui lui-même considérait Cyril comme un autre cyril parmi une infinité de cyrils possibles !

Le soir vint, puis la nuit. Cyril guetta la venue de son compagnon de la veille, mais il ne parut pas. Au matin le lit était vide. Au cours des étranges journées qui suivirent, Cyril songea souvent à ce visage endormi comme un souvenir de lui-même oublié dans le labyrinthe des années. Si seulement il avait vu ses yeux, peut-être y aurait-il lu la réponse aux questions informulées qui tournaient dans sa tête. Quand un remous de ce temps sans durée lui en laissait le loisir, il se mettait en quête de l'inconnu, mais chaque fois sa piste se perdait dans l'écoulement pâteux du rêve. Il croyait l'apercevoir au détour d'un escalier ou dans l'entrebâillement d'une porte, mais toujours c'était un autre Cyril.

Interrogé, le *hippie* ne fut pas d'un grand secours.

— Dans les vingt ans, dites-vous ?

— A peine.

— Comment est-il ?

— Il... il me ressemble assez... en plus jeune.

— Calme, hein ? Tranquille ?

— Il dormait.

— Oui, oui, je vois. C'est Cyril Anderby.

— Mais lequel ?

L'autre parut ne pas comprendre. Il détourna les yeux et changea de conversation.

Il y eut des nuits, des jours, un bridge avec Sir Cyril, un sandwich pris à la hâte à la cuisine, une discussion sur la musique sérielle, une colique nocturne du petit Cyril, une audition du magnétophone en vitesse accélérée... Un moment vint où Cyril écarta la persienne et vit le fourgon bleu sur le ferry d'Algésiras.

Dans la maison soudain silencieuse, le temps reprit d'un coup son rythme normal. Assis ou couchés sur les meubles, les cyrils paraissaient frappés d'hébétude. Lentement Cyril les compta en faisant le tour des pièces. Il n'en trouva que vingt-trois. Le vingt-quatrième était évidemment le dormeur de la première nuit.

Le grenier ! Frappé d'une inspiration subite, Cyril monta l'escalier quatre à quatre et s'arrêta sur le seuil. Assis par terre dans un carré de soleil, celui qu'il cherchait souriait en regardant une photographie de Cyril jeune sur un vieux programme de concert. Il leva les yeux.

— Bonjour, Cyril.

— Bonjour. Il y a longtemps que je te cherche.

— Et tu m'as trouvé. Il était temps.

— Pourquoi ?

— C'était le but de l'essai.

— Qui es-tu ?

— Je suis toi-même à vingt-deux ans, ou plus exactement à vingt et un ans, dix mois, huit jours, quand tu t'es embarqué sur le baleinier.

— Et les autres ?

— C'est toi aussi, celui que tu as été, que tu aurais pu, que tu pourrais être.

— Mais je ne les ai pas reconnus.

— Je suis le plus facile, un premier test, en quelque sorte. Maintenant, tu peux commencer l'analyse si tu veux. Voici le contrat.

Il tira une enveloppe de sa poche.

— Lis attentivement. C'est vraiment avantageux. Si ça t'intéresse, tu signes un exemplaire ; si ça ne t'intéresse pas, tu mets une croix dans le carré rouge et tu envoies le tout à Nordmann par la poste.

— Qui est Nordmann ?

— Un agent commercial. Il représente l'Organisation.

— Quelle organisation ?

Le moteur du fourgon fit trembler les vitres.

— Je n'ai pas le temps de t'expliquer. On vient nous chercher.

Il se leva.

— Tu es... réel ?

— Il me semble, non ?

— Je veux dire : humain ?

Le moteur se tut et une portière claqua dans la ruelle.

— Nous ferions bien de nous dépêcher. Otto n'aime pas attendre.

— Il est de l'organisation, lui aussi ?

— Un employé.

— Il faudra bien qu'il me donne des explications !

— Otto expliquer quelque chose ? C'est la meilleure !

— On verra bien !

En dévalant l'escalier, Cyril entendit derrière lui le rire de son double qui le suivait sans se presser. Devant la porte, Otto comptait ses passagers.

— *Schnell! schnell! einundzwanzig, zweiundzwanzig, dreiundzwanzig... Wo ist der Kerl?*

Cyril s'avança vers lui.

— J'exige de savoir...

L'autre ne lui laissa pas le temps d'achever. D'une bourrade il le poussa dans la file.

— *Schnell, Mensch, schnell! Vierundzwanzig! Fertig!*

Comprenant l'erreur, Cyril se dégagea vivement.

— Ce n'est pas moi!... Je...

Le poing d'Otto s'abattit sur sa bouche, sa tête parut éclater et une nausée à goût de sang monta dans sa gorge. Il voulut crier, mais déjà la file l'emmenait de son pas aveugle.

L'autre Cyril venait d'apparaître sur le pas de la porte et il contemplait la scène, les yeux ronds. Quand Otto s'avança vers lui, un papier à la main, il ne parut pas le voir.

— *Unterzeichnen, bitte!*

C'est seulement lorsque la trappe se fut refermée dans le flanc du fourgon qu'il saisit machinalement le stylo à bille et fit un gribouillis au bas de la feuille, puis son bras retomba le long de son corps et il resta ainsi sur le pas de la porte longtemps après qu'Otto eut tourné les talons et que le bruit du moteur se fut confondu avec les rumeurs de la ville.

Pensif, il rentra dans la maison. Au pied de

l'escalier il trouva le contrat que Cyril avait laissé tomber dans sa hâte. Il le contempla et soudain éclata de rire. Le stylo à bille était encore dans sa main. Il traça une croix dans le carré rouge. Pas besoin de cure pour lui.

Dans la chambre de Cyril, quelques instants plus tard, il enfila un blue-jean et un pull jaune, puis, avec des ciseaux à ongles, rectifia sa coiffure devant la glace. En dégarnissant les tempes et en coupant la mèche qui ondulait sur le front, il se vieillissait de plusieurs années. On lui trouverait bonne mine, voilà tout.

On lui trouva bonne mine et quelques jours plus tard la bonne reprit sa place sans commentaires.

Vers la fin de l'hiver, Larrabazua appela son ami Cyril au téléphone.

— Tu te souviens de cette annonce du *Times* sur la méthode polyschizoïde ?

— Euh, oui. Elle continue à paraître.

— Tu n'y as jamais répondu ?

— Euh... moi personnellement, non.

— Ils ont trouvé un gogo de marque : le consul de ta gracieuse Majesté en personne va faire soigner son âme à domicile.

— Harry Broomstock ? Il a une âme ?

— C'est peut-être ce qu'il cherche à savoir. Il m'a raconté ça au club entre deux sherries. J'ai pensé que je ne trahirais pas le secret professionnel en te mettant au courant. Tu as peut-être là une occasion de satisfaire ta curiosité.

Toute la semaine, Cyril guetta le ferry d'Algésiras. Le huitième jour enfin, il le vit à l'entrée du port qui dansait sur les lames soulevées par un vent glacial. Le fourgon bleu occupait toute la largeur du pont.

Harry Broomstock habitait dans la ville haute une vaste et antique demeure au fond d'un parc. Cyril rangea sa voiture dans une rue adjacente, sauta le mur et prit position derrière un gros eucalyptus d'où il pouvait surveiller l'entrée de la maison.

Le fourgon pénétra directement dans le parc. Un maître d'hôtel au visage de bois vint à la rencontre d'Otto, emporta le reçu dans la maison et le rapporta quelques secondes plus tard sur un plat d'argent. Les visiteurs se rangèrent sans hâte devant le perron et Otto n'eut pas à intervenir. Le fourgon fit lourdement le tour d'un massif et s'en fut entre les arbres. Harry Broomstock parut sur le seuil. Il examina la troupe d'un monocle froid, puis lui adressa ce qui paraissait être un discours de bienvenue.

Tous les visiteurs étaient taillés sur le même gabarit. Harry Broomstock ne devait pas avoir de grandes complications psychologiques. Passant d'arbre en arbre, Cyril se rapprocha, scrutant les deux douzaines de visages jeunes ou vieux, tous figés dans la même expression de raideur hautaine. Entre un *freshman* d'Oxford et un écolier d'Eton, un lieutenant des Gardes d'une trentaine d'années paraissait légèrement différent des autres. Ses yeux couraient de-ci, de-là, comme s'il cherchait quelque chose. Se rapprochant encore, Cyril manœuvra pour se trouver dans son axe de vision au moment où il regardait vers le fond du parc. Le broomstock en uniforme tressaillit et tourna vivement la tête dans la direction de Cyril. Leurs regards s'accrochèrent et luttèrent un instant, puis un sourire discret tordit la lèvre raide du broomstock.

Harry Broomstock avait disparu. Précédés par le maître d'hôtel, la file de ses sosies pénétra dans la maison. Le lieutenant laissa tomber son stick et s'attarda pour le ramasser. Pendant quelques secondes il fut seul devant le perron. Cyril avait bondi derrière un buisson à portée de voix.

— C'est toi ?

— Moi qui ?

— Cyril.

— Et toi, alors ?

— Ecoute, je voudrais te parler.

L'autre montra la maison.

— Boulot.

— Harry Broomstock se couche tôt. Veux-tu à onze heures chez moi ?

— Chez moi.

— Chez nous, si tu veux. Je viens te chercher ?

— Inutile, je connais le chemin et j'aimerais piloter la Bentley de ce brave Harry.

Il n'était pas tout à fait onze heures quand la Bentley s'immobilisa silencieusement dans la ruelle. La porte du jardin était ouverte. Le broomstock ressemblait toujours à Harry Broomstock jeune, mais il avait troqué son uniforme contre un blouson de laine et un pantalon de velours cotelé. Il alluma une cigarette et considéra la maison. Deux fenêtres étaient éclairées au premier étage, celles de la chambre au grand lit. Il sourit, écrasa la cigarette et descendit de la voiture.

Dans le salon, les deux Cyril se dévisagèrent avec curiosité.

— Tu... tu veux un whisky ? J'ai changé de marque.

— Tu as bien fait... Margaret est ici, n'est-ce pas ?

— Oui. Comment le sais-tu ?

— J'ai vu de la lumière dans la chambre. Elle est au courant ?

— Oui.

— Qu'en pense-t-elle ?

— Tu veux la voir ?

— Ce serait plutôt embarrassant pour tout le monde, non ?

Dans le silence, un cube de glace tinta dans un verre. Sol naturel.

— Tu... tu as l'intention de revenir ?

— C'est difficile, mais faisable, tu ne crois pas ?

— Là-bas, ils ne se sont aperçus de rien ?

— Non, ça m'a un peu surpris, mais tu sais, je crois qu'à leurs yeux tous les hommes se ressemblent plus ou moins.

— Au naturel, j'ai quelque chose de toi. On n'a pratiquement pas eu à me remodeler quand je suis venu ici.

— Que faisais-tu avant ?

— Je vendais des aspirateurs.

— La musique, tu t'en es tiré ?

L'autre eut l'air gêné. Il but une gorgée de whisky comme pour se donner du courage.

— Margaret m'a aidé... Nous avons terminé le machin que tu avais sur le magnétophone.

— Vraiment ?

— Tu veux entendre ?

— Non, non, merci.

— C'est bon, tu sais. Le London Philharmonic Orchestra le crée le mois prochain au Royal Festival Hall et la Columbia a acheté les droits de disque.

— La gloire, en somme.

— Et l'argent. Ça ne te dit rien ?

— Pas grand-chose.

— C'est curieux. Pourtant tu n'as pas subi la cure.

— Oh, je n'en ai pas eu besoin. En causant avec les autres pendant le voyage, j'ai vite compris ce qui clochait en moi.

— Mrs. Benson ?

— Oui. C'est elle qui m'a donné mes premières émotions sexuelles quand elle faisait sa toilette le matin en chantant des airs d'opéra. Ensuite j'ai fait un transfert sur Margaret, mais l'opéra est resté. Maintenant je compense très bien l'opéra... et Margaret.

— Si tu avais fait la cure, on ne t'aurait pas permis d'en rester là. Ça va très loin. Un vrai lavage.

— On te l'a fait ?

— Tous ceux qu'ils emploient doivent y passer. Des zombies, voilà ce qu'ils font de nous. Maintenant, ça va mieux. L'effet se dissipe.

— Et les autres ? Je veux dire les clients, moi, Broomstock...

— Des zombies aussi. Seulement, eux, ils restent dans leur famille, dans leur métier. Personne ne sait.

Ils se regardèrent un moment en silence, chacun écoutant chez l'autre les pensées qu'il n'osait pas exprimer.

— Tu crois qu'il y en a beaucoup ?

— Avant de venir ici, j'avais fait trente et une missions.

— Et moi, depuis que je suis là-bas, j'en ai fait huit... des hommes politiques, des artistes, des techniciens, un directeur de journal...

— Pour moi, c'était à peu près la même chose... rien que des cadres.

Ils prirent le temps de boire un deuxième verre.

— Où crois-tu qu'ils veulent en venir ?

— C'est difficile à dire. Ils sont si différents de nous...

— Tu en as parlé à quelqu'un ?

— Parler à qui ? et de quoi ? Qui nous croirait ?

— C'est vrai. Rien que l'endroit, je n'arriverais pas à le décrire.

— Il vaut mieux se taire.

— Peut-être... C'est quand même une menace.

— Pour qui ? Pour toi ? Pour moi ? Pour ceux qui font la cure ? Ce sont des zombies, mais des zombies heureux. Ils n'ont pas de problèmes, ils réussissent et ils font de l'argent.

Le cyril-broomstock posa son verre et se leva.

— Comme toi, en somme.

— Oui, comme moi.

— Et tu es content ?

— Je suis content. J'aime ici. La musique, j'y prends goût, et Margaret, elle est...

— *Attractive*... ne cherche pas, c'est le mot. Il y a des moments...

— Tu ne veux pas reprendre ta place ?

L'inquiétude qui perçait sous la voix se teintait d'une vague menace. Tirant de sa poche les clefs de la Bentley, le visiteur se dirigea vers la porte. Avant de sortir, il eut un petit rire.

— Je n'en ai jamais eu l'intention. En venant ici je pensais seulement que tu m'aiderais peut-être à démasquer l'affaire, à donner l'alarme. Mais tu as raison. Je suis très bien là-bas, tu sais. J'ai tous les instruments que je veux et au moins il n'y a personne pour écouter ma musique.

ANTIBABEL

A Julian Behrstock

Le jour où l'Organisation des Nations Unies admit l'ogapi du Basawuto comme huit cent douzième langue de travail, un incident fortuit perturba le fonctionnement d'une des unités de la machine géante qui assurait la traduction simultanée au cours des séances de l'Assemblée générale.

Le représentant de la Borosthénie expliquait à la tribune la position de son gouvernement dans le conflit babélo-zitounien quand on vit soudain les délégués prendre des mines stupéfaites, puis ôter leurs casques et les examiner d'un air perplexe.

Par souci d'élégance l'orateur s'exprimait en borosthénien classique, langue difficile et peu répandue qui, plus que toute autre, demandait traduction. Une rumeur naquit dans la salle, se propagea de travée en travée, devint rapidement tumulte, puis clameur. Interloqué, le délégué de la Borosthénie se tut et se retourna vers le président de séance pour l'interroger du regard.

Mais le président, comme d'ailleurs le secrétaire général des Nations Unies assis à son côté et tout le personnel rassemblé autour d'eux, avaient d'autres chats à fouetter.

Sur chacun de ses huit cent douze canaux, la machine traduisait le discours du délégué de la Borosthénie en ogapi du Basawuto.

A vrai dire deux personnes seulement dans la salle étaient parfaitement sereines et savaient que la série de crachouillements et de glapissements émise par la machine était de l'ogapi. Ayant récemment accédé à l'indépendance, le Basawuto était une petite nation multilingue de cinquante-deux habitants dont quatorze constituaient le groupe ogapiphone, numériquement dominant. Parmi ces quatorze, cinq étaient des adultes et deux d'entre eux composaient la délégation basawutienne aux Nations Unies.

Le président voulut lancer un appel au calme.

— *Gentlemen, may I call for order, please !*

— *Krrix, chtripftim kloupf !* traduisit immédiatement la machine sur ses huit cent douze canaux.

« *Chtripftim kloupf !* » n'était pas une interprétation absolument exacte. Cela signifiait plutôt : « Vos gueules, ou je fonce dans le tas. » Quand l'incident s'était produit, les techniciens venaient à peine de mettre l'ogapi en mémoire et n'avaient pas eu le temps de connecter le sélecteur de nuances. Choqué, le chef de la délégation du Basawuto voulut intervenir, mais déjà le président levait la séance.

Quelques instants plus tard une réunion informelle se tenait dans le bureau du secrétaire général. Ce dernier apostrophait vivement l'ingénieur en chef.

— Enfin, Amar Singh, m'expliquerez-vous ce que signifie cette invraisemblable plaisanterie ?

Le Sikh hocha sa tête enturbannée.

— Pour répondre à vos questions dans l'ordre inverse des points soulevés, monsieur le secrétaire général : un, ce n'est pas une plaisanterie ; deux, la signification d'un événement quelconque n'est pas du ressort de l'entendement humain ; trois, l'explication est un court-circuit qui s'est produit dans l'unité centrale de coordination structurale au moment où nous mettions sous tension le bloc-mémoire de l'ogapi.

— Eh bien, qu'attendez-vous pour réparer le court-circuit ?

Les yeux tristes du technicien parcoururent les visages assemblés devant lui.

— Il est réparé, monsieur le secrétaire général, malheureusement...

— Malheureusement ?...

— Malheureusement le court-circuit a déclenché un *feedback* en boucle ouverte qui se propage le long des conducteurs à basse tension et dépolarise les constituants électroniques au niveau des unités de programmation sélective.

Le président de l'Assemblée générale, qui était un prix Nobel bolivien, fit un signe d'assentiment.

— Je vois ce qu'il veut dire. C'est comme une réaction en chaîne qui continue, même quand la cause initiale est éliminée, n'est-ce pas ?

— Oui. Nous avons tout de suite localisé le court-circuit, mais le *feedback* a continué à se propager de bloc-mémoire en bloc-mémoire, connectant chaque langue successivement avec l'ogapi. La première atteinte a été le tsalambé qui est du même rameau linguistique que l'ogapi.

— Et la dernière ?

— Le basque.

Le président qui s'appelait Etchebarrieta, se rengorgea imperceptiblement.

— Bon, eh bien, c'est terminé, maintenant, je suppose ? dit le secrétaire général. Si les huit cent douze langues sont atteintes, cela n'ira pas plus loin. Vous n'avez qu'à mettre la machine hors circuit et la réparer.

— Elle est hors circuit, monsieur le secrétaire général, seulement...

Le voyant de l'interphone s'alluma.

— Allô ! Qu'est-ce que c'est ? demanda le secrétaire général.

— *Strouix chtilip dum-dum*, répondit une voix féminine.

— Allô ! Miss Alison, est-ce vous ?

— *Strouix chtilip dum-dum bing*, insista la voix.

— Quoi ? Que dites-vous ? Je ne comprends pas un mot.

— *Kerix bilik ?*

— Voilà le bouquet, dit le secrétaire général. Ma secrétaire est devenue folle elle aussi. Qu'est-ce que c'est que ce charabia ?

Le Sikh considérait l'interphone d'un air accablé.

— C'est de l'ogapi, monsieur le secrétaire général. Le *feedback* s'est étendu à tout le réseau de communications intérieures avant que nous ayons pu isoler la machine.

— Mais comment ? demanda le président.

— Oh, par les fils du secteur, tout simplement, les fils du courant force, du courant lumière...

Tous les yeux convergèrent vers la lampe de

travail qui éclairait le bureau du secrétaire général. Elle prit soudain une allure inquiétante et sinistre.

— Vous voulez dire que dans tout l'immeuble des Nations Unies, les téléphones, les interphones, les vidéophones traduisent automatiquement les conversations en ogapi ?

— Exactement, dans tout l'immeuble... et en fait dans tous les endroits qui d'une manière ou d'une autre sont reliés à l'immeuble par des fils conducteurs sous tension.

Ce fut le délégué américain qui comprit le premier la portée de ce qui venait d'être dit. Il se leva d'un bond.

— Faites isoler l'immeuble ! Coupez l'électricité, le téléphone, tout ! Bill, ajouta-t-il en se tournant vers ses collaborateurs, appelez la fréquence personnelle du secrétaire d'Etat sur votre émetteur portatif. Et vous, Harry, allez nous chercher le délégué du Basawuto. Nous aurons besoin de lui comme interprète.

Bill avait déjà tiré une petite boîte noire de sa poche et sortait l'antenne télescopique.

— Messieurs, dit le délégué américain en revenant vers ses collègues du Conseil de Sécurité, je vais essayer de faire isoler d'abord l'Etat de New York, puis le territoire des Etats-Unis, mais vous savez sans doute que tous les pays du monde sont reliés soit par des lignes de force, soit par des réseaux téléphoniques, soit par des câbles télégraphiques, et je ne puis vous cacher...

— Nom de Dieu ! s'écria le délégué français.

— *Boje moï !* grogna le délégué soviétique.

— *Dear, dear*, murmura le délégué britannique.

Washington répondit presque immédiatement à l'appel et la voix de l'opérateur sortit forte et claire du haut-parleur que Bill avait mis en batterie. Elle avait un fort accent du Middle-West, mais c'était incontestablement de l'anglais qu'elle parlait.

— Grâce au ciel, soupira le délégué américain, la radio n'est pas encore atteinte par cette peste !

— Je vous passe le secrétaire d'Etat sur la ligne intérieure, dit l'opérateur.

Il y eut un silence, puis :

— *Halo ! Struimpf kilikilix ?*

— Hello, Dave ! C'est Frankie qui vous parle des Nations Unies.

— *Kerix bilik ?*

— Est-ce que vous m'entendez ? Est-ce que vous me comprenez ?

— *Chtip bing Franki !Talahimispix badum ping ! Chtilmix balaninostruip tipik bdum bong...*

La voix se faisait inquiète, insistante.

— C'est cuit, dit le délégué américain.

Baissez la puissance, Bill. Espérons qu'Harry trouvera ce foutu Basawutien.

Le professeur Drip Bix, ambassadeur du Basawuto auprès des Nations Unies, commandeur de l'Ordre du Zèbre Vert et titulaire du *Lower Certificate of Proficiency* de la Mission épiscopalienne de Masawuta, buvait un jus de fruit au bar quand Harry le découvrit. Il était au courant des événements, mais les prenait avec beaucoup de calme comme un simple hommage à l'universalité de la langue ogapi.

Il écouta un instant le flot de paroles qui sortait du haut-parleur et se mit à traduire en un anglais un peu chuintant, mais compréhensible.

— Votre ami Dave demande au nom de tous les saints quelle est cette sorcellerie. Il dit que tous les téléphones des Etats-Unis se sont mis à parler ce qu'il appelle un jargon de tous les diables et qui est sans doute la manière peu courtoise qu'il a de désigner la langue nationale de mon pays, comportement dans lequel je vois une offense grave à la dignité du Basawuto, offense dont mon gouvernement demande immédiatement réparation sous forme d'une aide bilatérale d'un montant de dix millions de dollars, payable en coupures de cinq dollars dans un délai de...

— D'accord, d'accord ! Mais continuez à traduire pour l'amour du ciel !

— Hum, eh bien, votre ami Dave dit encore que l'épidémie semble avoir atteint les autres régions du monde. Les téléphones et télétypes rouge, vert, blanc, jaune, bleu et magenta répondent exclusivement en ogapi. Depuis une heure, le président tente en vain d'entrer en conversation avec Moscou, Londres et Paris. Toujours on lui répond en ogapi. La tension internationale est extrême. C'est uniquement parce qu'un bref contact radio a pu être établi entre le Kremlin et le Pentagone par les satellites Telstar et Molnya que l'envoi réciproque et préventif de missiles nucléaires a été évité. Mais on ne peut pas savoir comment la Chine va réagir.

— *Boje moï !*

— Sacré nom d'un chien de nom d'un chien !

— *Oh, I say, that's rather awkward, isn't it ?*

Le délégué américain fut le premier à reprendre son sang-froid.

— Harry, mon avion dans une demi-heure, prêt au décollage. Monsieur le Professeur, vous allez m'accompagner à Washington. Le président des Etats-Unis a absolument besoin d'un expert en ogapi pour traduire ses communications.

— Oh, mais pardon ! s'écria le secrétaire

général des Nations Unies, nous aussi nous avons besoin du professeur Drix Bip...

— Drip Bix, s'il vous plaît.

— C'est cela, Dip Brix... S'il y a un expert en ogapi, c'est ici qu'il doit être !

— Si vous permettez, puis-je suggérer que mon adjoint, le docteur Ping Trabumf, demeure à votre disposition tandis que moi-même...

— Non, non. Vous, restez ici et envoyez le docteur... mmm... enfin, votre ajdoint à Washington.

— Oh, comme vous voudrez, s'écria le délégué américain, mais faisons vite ! Un ici, un à Washington, d'accord !

— Pardon, pardon, mon cher collègue, dit le délégué français, quelle que soit l'urgence, il me paraît difficile d'admettre que le gouvernement des Etats-Unis s'arroge l'exclusivité des communications en ogapi. C'est tout à fait contraire à l'esprit même de la Charte...

— J'allais le dire ! s'écria le délégué soviétique. Mon gouvernement considérerait certainement cela comme un acte de guerre froide. S'il y a un expert à Washington, il doit y en avoir un à Moscou !

— Ah... oh..., dit le délégué britannique, après tout le Basawuto est une ancienne colonie de la Couronne et le professeur doit se souvenir qu'il a encore le privilège de la nationalité britannique, sous réserve des Commonwealth Immigrants Acts, bien sûr, mais je ne doute pas...

— Ecoutez, coupa le délégué américain, nous sommes cinq preneurs, le temps presse et il n'y a que deux Basawutiens à New York.

Pensif depuis un moment, le professeur Drip Bix leva la main.

— Messieurs, je crois avoir la solution de votre problème. Toute la population du Basawuto est à votre disposition. Cela fera juste le compte. Il y a d'abord notre président, l'honorable Klik Bong. L'ennui est qu'il est aussi ministre des Finances. On peut se passer d'un président, mais non d'un ministre des Finances.

Les puissances occidentales se consultèrent du regard.

— Nous vous enverrons quelqu'un, dit le Britannique.

— Avec les fonds nécessaires pour qu'il puisse travailler, s'il vous plaît. Ensuite il y a le général Badum, mais il assure à lui seul toute notre défense nationale.

— Je vous enverrai les Casques bleus, dit le secrétaire général des Nations Unies.

— Enfin il y a le juge Pruix, qui est responsable du maintien de l'ordre...

— Je m'en charge, dit le délégué soviétique.

Vingt-quatre heures plus tard, les interprètes basawutiens étaient en place dans les quatre capitales. Les agents du F.B.I. découvrirent même à San Francisco un réfugié politique basawutien qui était devenu portier d'un tripot chinois. Il fut expédié sur Pékin par avion spécial.

Cependant il s'en fallait de beaucoup que la situation fût redevenue normale. Dans le monde entier non seulement le téléphone et le télégraphe, mais encore le cinéma, la radio, la télévision ne parlaient qu'ogapi. Les seules machines parlantes à n'être pas touchées par l'épidémie étaient celles qui fonctionnaient sur piles comme les transistors ou les émetteurs-récepteurs d'avions, ce qui rendait le trafic aérien encore possible moyennant quelques risques.

Une armée de linguistes venus du monde entier s'abattit sur le siège des Nations Unies évacué par les diplomates. Amar Singh et ses techniciens équipèrent et programmèrent la machine pour desservir quatre mille deux cents cabines audio-visuelles. Le professeur Drip Bix écrivit en deux jours et fit imprimer en trois jours toute une série de manuels : *L'ogapi sans larmes*, *Premiers pas en ogapi* et *Plikplik ogapik*, ce qui signifie « Dites-le en ogapi ». Il en vendit plusieurs millions d'exemplaires et jeta ainsi les fondements d'une immense fortune.

En une semaine, les linguistes mirent au point une méthode intensive pour l'enseignement de l'ogapi. Aussitôt la première promotion d'étudiants arriva à New York. C'étaient tous des professeurs de langue expérimentés qui retourneraient ensuite dans leurs pays pour y former des maîtres qui eux-mêmes enseigneraient l'ogapi à la population. Le T.W.O.P. *(Teach the World Ogapi Program)* prévoyait deux promotions par mois à raison de quatre mille étudiants par promotion, ce qui permettait d'espérer qu'en un trimestre plus d'un demi-milliard d'habitants de la planète seraient solidement ogapisés.

L'ogapi devint rapidement une mode. On se disputait pour l'apprendre. Par l'encyclique *Linguae Unius*, le pape autorisa la liturgie en ogapi et l'archevêque de Canterbury fit traduire en ogapi la version autorisée de la Bible. Le gouvernement chinois en fit autant avec les œuvres de Mao Tsé-toung et l'Université de Californie avec celles de Marcuse. Le général de Gaulle termina une de ses conférences de presse par une phrase en ogapi : *Franktok bongo-bongo, ogapi tapik-tapik*, ce qui revenait à dire : « La France étant ce qu'elle est, l'ogapi doit être ce qu'il faut qu'il soit. »

Bref, tout le monde parlait peu ou prou ogapi et s'en trouvait bien, à l'exception toutefois des gens importants qui étaient trop occupés pour consacrer le temps nécessaire à l'étude de la langue, et s'en remettaient à leurs collaborateurs. Les choses n'en allaient que mieux. De leur côté les hommes d'Etat, retenus par de vieux réflexes de dignité nationale, s'en tenaient à leurs langues maternelles ou à celles qu'ils avaient apprises à l'école, ce qui leur interdisait l'usage du téléphone ou du télétype. Ils prirent donc l'habitude de se rencontrer en personne dès qu'ils avaient quelque chose d'important à débattre, ce qui était fréquent. Quelques amitiés durables naquirent de ces rencontres. Le climat international s'en trouva allégé, détendu. On allait aux congrés, conventions et conférences comme à des parties de plaisir avec de vieux amis. Débarrassés des questions de personne et des rivalités individuelles, la plupart des problèmes en suspens trouvèrent une solution élégante. Berlin, le Vietnam, la Corée furent réunifiés en un tournemain. Pékin se réconcilia avec Moscou, Tirana avec Belgrade et Le Caire avec Jérusalem. Les luttes sociales perdirent leur acuité et l'on vit partout les étudiants organiser des cours d'ogapi à l'usage des forces de police.

Tout était loin d'être réglé pourtant. Il y avait encore des guerres, des grèves, des invasions, des barricades, des répressions et des génocides. Il fallait s'informer, donner des instructions, prendre des décisions rapides.

Installés chacun à l'un des postes-clefs du monde, les six Basawutiens s'acquittaient merveilleusement de cette tâche. Occupés à leurs rencontres amicales, les gouvernants leur abandonnaient des responsabilités toujours accrues et comme ils se connaissaient fort bien tous les six puisqu'ils étaient tous les six cousins, jamais le monde ne fut gouverné avec plus d'harmonie et de cohérence.

Le secrétaire général des Nations Unies s'en entretenait un jour avec le professeur Drip Bix et le président de l'Assemblée générale.

— Au fond, mon cher professeur, vous jouez un peu le rôle de Robert Walpole au XVIIIe siècle. Comme il parlait latin, il était le seul à pouvoir établir la communication entre le roi George Ier qui ne parlait pas anglais et les hommes d'Etat anglais qui ne parlaient pas allemand. C'est ainsi que peu à peu les pouvoirs du roi sont passés au premier ministre pour le plus grand bien de la démocratie parlementaire.

— Peut-être, mon cher, s'écria le président, mais l'anglais et l'allemand sont sortis indemnes de l'affaire ! Mais il s'agissait du latin ! Le professeur Drip Bix ne m'en voudra pas si je dis que l'ogapi n'a pas la richesse du latin. Quand je le vois se substituer à de vieilles langues chargées d'histoire et de littérature, comme la mienne, je ne puis que le regretter. Enfin, imaginez-vous Cervantes en ogapi ?

— Justement, monsieur le président, on est en train de le traduire. Je vous accorde que Cervantes en ogapi, c'est moins beau qu'en espagnol, mais maintenant que le monde entier parle ogapi, Cervantes aura en ogapi mille fois plus de lecteurs qu'il n'aurait jamais pu en avoir en espagnol. Faut-il le regretter ?

— Certes non, dit le secrétaire général, mais je comprends l'état d'esprit du président et je ne suis pas loin de partager son inquiétude. Je tiens moi aussi à la langue de mes ancêtres et je vous avoue qu'un monde uniformisé dans l'ogapiphonie m'épouvante un peu. Une langue, voyez-vous, c'est toute l'histoire d'un peuple, avec ses luttes, ses souffrances...

— Son sang, ses larmes, dit le président.

— Croyez-vous, messieurs, que les peuples tiennent tellement à leurs souffrances ? demanda doucement le professeur Drip Bix.

— Non, bien sûr, mon cher professeur, et il faut nous incliner devant les bienfaits que nous apporte l'ogapi dans une situation difficile. Mais faut-il pour autant que l'humanité perde cette merveilleuse diversité linguistique qui faisait sa richesse, son charme...

— Sa grandeur, dit le président.

On entendit un tumulte dans l'antichambre

et, bousculant le planton, Amar Singh pénétra à grandes enjambées dans le bureau du secrétaire général. Une flamme sombre brûlait dans ses yeux. Son turban était de travers et sa barbe était en bataille.

— Dieu, dit-il, m'a donné la victoire !

— Quelle victoire ? demanda le secrétaire général. Calmez-vous, mon cher. Que se passe-t-il ?

— J'ai découvert la cause du mal. La distorsion initiale a fait passer l'ensemble du programme ogapi au niveau sub-atomique et l'a inscrit dans une mémoire diffuse dont chaque élément est constitué par la charge négative d'un électron...

Le président de l'Assemblée générale se leva d'un bond.

— Oh ! mais dites, c'est une découverte fantastique ! C'est la miniaturisation absolue ! Il n'y a plus de limite à la multiprogrammation et à la réallocation dynamique de mémoire !...

— Concrètement, dit le secrétaire général, quelle conséquence pratique en tirez-vous ?

— Il suffit, dit Amar Singh, de reproduire l'incident initial en envoyant cette fois un programme d'effacement au niveau sub-atomique. Le montage est prêt. Donnez-moi le feu vert et dans dix minutes le monde entier sera débarrassé de l'ogapi.

Il y eut un long silence.

— Vous êtes sûr ?

— Dieu seul est sûr, mais je pense que je suis sûr.

— Vous en avez parlé à quelqu'un ?

— A personne. Il vous revenait de connaître le premier la bonne nouvelle.

Les yeux du secrétaire général croisèrent ceux du président. Chacun vit dans le regard de l'autre s'éteindre la première lueur de triomphe puis s'allumer l'inquiétude. Pas un mot ne fut prononcé, mais tout fut dit : les discours interminables, les dialogues de sourds, les malentendus, les mots à double sens, les mensonges, les reniements, les violences verbales, les menaces, la peur...

— On était tout de même bien tranquilles, disaient les yeux du secrétaire général.

— Tout va recommencer, disaient ceux du président.

— Ils vont se remettre à crier tous ensemble...

— S'ils se contentaient de crier...

— Après tout, l'ogapi...

— A côté de la bombe atomique...

L'angoisse naquit simultanément sur leurs deux visages et ils se tournèrent ensemble vers le professeur Drip Bix comme pour quêter un conseil.

Le professeur sourit et hocha la tête.

— Bravo, Amar Sigh, vous avez fait du

bon travail. Je suppose que vous n'avez pas eu le temps d'apprendre l'ogapi ?

— Non, mais cela ne servira plus à grand-chose maintenant.

— Bien sûr. Hum... Il me faut maintenant donner quelques instructions pour tirer les conséquences de votre remarquable découverte. Vous permettez ?

Se penchant vers l'interphone, il déversa un flot de crachouillements et de glapissements. Quand il eut terminé, il se tourna vers le secrétaire général.

— Monsieur le secrétaire général, notre ami Amar Singh a bien mérité des Nations Unies. Il s'est surmené pour le bien de tous. Je suggère que vous lui accordiez un congé afin qu'il prenne un repos nécessaire à sa santé.

— Euh... d'accord, dit le secrétaire général.

Amar Singh soupira.

— Merci, j'accepte volontiers. J'ai vraiment besoin de détente. Dès que j'aurai mis la machine sous tension, j'irai me reposer.

— Il vaudrait peut-être mieux y aller avant, murmura le professeur.

Au même instant deux solides gaillards vêtus en infirmiers firent irruption dans la pièce, saisirent chacun Amar Singh par un bras et l'emmenèrent, trop ahuri pour opposer la moindre résistance.

Dans le bureau silencieux, les trois hommes regardèrent longuement la pointe de leurs souliers.

— Ce pauvre Amar Singh, soupira finalement le secrétaire général, le travail lui a porté à la tête.

— Oui, dit le président, il s'est sacrifié à la cause commune. C'est un martyr, en somme... Mais je dois dire, ajouta-t-il avec une pointe de regret dans la voix, que son idée était fantastique, véritablement fantastique.

— Vous croyez qu'il guérira ? La psychiatrie moderne fait des miracles.

Le professeur Drip Bix secoua tristement la tête.

— Dans des cas comme le sien les guérisons sont rares, très rares.

PASSÉ ANTÉRIEUR

A Armand Lanoux

Jeudi 12 décembre, 19 heures.

L'avais-je déjà vu ? Est-ce un habitué du bureau de tabac ? Je pourrais presque croire que j'ai écrit cette page *après*, quand je suis revenu avec les cigarettes. Mais non, j'en suis bien sûr. En rentrant, je suis allé tout droit à ma table et j'ai relu debout, les mains derrière le dos. Mon stylo était dans ma poche, fermé. Je ne l'ai pris que maintenant, pour noter ces quelques réflexions.

Après tout il est possible que je me trompe. Ce sont des choses qui arrivent à un romancier. On vit tellement avec ses personnages qu'on finit par les voir partout.

Non, il n'y avait pas à s'y tromper : les cheveux en brosse, la bouche mince et légèrement tordue, les yeux pâles, le gauche un peu plus clair que le droit, les joues creuses et mates, même la cicatrice à la base du nez. Comment aurais-je pu inventer tous ces détails ? Je relis encore une fois mon début de chapitre : c'est aussi précis qu'un signalement de gendarme. Et tout coïncide, même ce geste que j'avais oublié : sa façon de prendre sa cigarette entre le pouce et l'index, du bout des doigts, comme un objet précieux...

Or cet homme, je l'ai inventé il n'y a pas une heure. C'est un personnage secondaire de mon roman, une sorte d'utilité. J'ai besoin de supprimer Van Groot et je lui ai fabriqué un assassin. C'est une solution facile, un truc de romancier, passablement banal.

Mais ce qui n'est pas banal, c'est qu'une demi-heure après avoir inventé mon assassin, je me sois trouvé nez à nez avec lui au bureau de tabac. J'ai dû avoir l'air idiot. En tout cas il a certainement remarqué mon regard ahuri. Je ne crois pas que de son côté il ait eu l'air de me reconnaître. Etonné un peu, mais sans plus. Il causait avec ce gros bonhomme rougeaud que je croise parfois dans la rue.

20 h 30.

Je n'y tenais plus. Je suis descendu et j'ai acheté des allumettes. L'homme n'était plus là, bien sûr. De mon ton le plus innocent, j'ai interrogé le patron.

— Dites, tout à l'heure j'ai cru reconnaître un de mes amis, mais il est parti maintenant.

— Il n'est pas venu grand monde ce soir. Comment est-il, votre ami ?

— C'est un grand maigre, avec les cheveux en brosse.

— Vous voulez dire le type à la cicatrice sur le nez ? C'est un ami à vous ? Eh bien, vous avez de drôles de relations, monsieur Laliment, permettez-moi de vous le dire ! C'est une vraie gouape, ce zigoto ! Il m'a fait toute une salade parce que je n'avais pas de Bastos ! Des amis comme ça, moi, j'en ai rien à foutre !

— Sans doute me suis-je trompé. Il causait avec quelqu'un.

— Oui, avec le caviste de la rue Métezeau. Encore un joli coco, celui-là ! Ils ont dû se connaître à la colonie. J'ai entendu qu'ils parlaient du Gabon.

Du coup j'ai laissé tomber ma boîte d'allumettes. Je l'ai ramassée et je suis rentré, pris de panique.

Parce que cette partie de mon roman, c'est au Gabon qu'elle se passe. Van Groot est un ship-chandler de Port-Gentil.

Primitivement j'avais situé cette partie de l'action à Pointe-Noire. J'ai changé d'idée à cause du pétrole. Il y a un angle pétrole dans mon histoire. Jean Nogaret est employé par un groupe. C'est lui mon tueur.

Enfin, mon tueur en puissance. Je viens tout juste de le camper. Maintenant il faut que je le mène jusqu'à Van Groot. Je vais m'y mettre ce soir. C'est curieux, mais l'aventure me stimule plus qu'elle ne me trouble. Balzac faisait concurrence à l'état civil. Moi, c'est l'état civil qui me fait concurrence. Un joli défi à relever pour un romancier.

Etat civil, d'ailleurs, c'est beaucoup dire. La première chose à vérifier serait le nom du bonhomme que j'ai vu au bureau de tabac. Si c'est Martin ou Tartempion, bon, alors j'ai eu la berlue. Mais supposons que ce soit Nogaret...

Le pire est que le nom m'est vaguement familier. Je n'ai passé que trois jours à Port-Gentil entre deux avions et mes souvenirs sont très vagues à cause de cette cuite que j'ai prise avec Ben. Un trou noir de deux jours. Comment s'appelait le bar ? Il était tout près du port. C'est d'ailleurs ce qui m'a donné l'idée de faire un ship-chandler de Van Groot. Cette gueule de bois, mes aïeux ! Parlez-moi des vacances-safari !

Samedi 14 décembre, 23 heures.

Toute la journée d'hier j'ai résisté à la tentation d'aller interroger le caviste de la rue Métezeau. Maintenant la cave est fermée pour le week-end.

J'ai repris mon personnage en main. Je l'ai rebaptisé. Il s'appelle Nogaro. C'est un nom toulousain, bien rond, qui lui enlève ce qu'il avait d'inquiétant. Ce n'est plus un tueur professionnel. Il a tué Van Groot par nécessité, parce qu'il était coincé dans une affaire de chantage.

Le souvenir du safari m'a donné une idée pour l'arme du crime. J'en ai fait une carabine de chasse du même modèle que la mienne : une Herstal semi-automatique.

Rien ne presse, d'ailleurs. L'assassinat de Van Groot peut attendre. Je vais reprendre la description du mur de la chambre d'Ethel. C'est le thème majeur du roman. Rien à voir — directement du moins — avec la péripétie de Port-Gentil qui est un simple intermède événementiel dans le déroulement de l'analyse. Je me demande en fin de compte s'il est bien indispensable.

Dimanche 15 décembre, 17 h 30.

C'est décidé, je laisse tomber tout l'épisode Van Groot. Je le supprime et Nogaret-Nogaro avec lui. Cela fait seize pages de travail perdu, mais je ne vais pas les détruire. Je pourrai en tirer une nouvelle en cas de besoin. Demain je reprendrai tout cela et je ferai les raccords nécessaires.

Je me sens soulagé par cette décision. En prenant mes souliers dans le placard, il y a un instant, j'ai aperçu l'étui de ma carabine. Bonne vieille Herstal. Penser qu'elle aurait pu devenir l'arme du crime !

Tout à l'heure, Ben sera chez Jan Potzky. Je leur raconterai mes divagations. Jan adore ce genre d'histoires. Il les raconte aussi très bien. Au lieu de faire des mathématiques, il aurait dû se lancer dans la science-fiction. Je suis certain qu'il prendra cela très au sérieux. Ben rira. Moi aussi.

Lundi 16 décembre, 13 heures.

Je conserve l'épisode Van Groot. On verra bien. Jan m'y encourage. Ce qui m'a décidé, c'est ma visite au caviste. Tout à l'heure, comme je sortais de la boucherie avec mon steak, je me suis trouvé au coin de la rue Métezeau. Naturellement je me suis rappelé que je n'avais plus de vin.

J'ai traîné devant les rayons pour rester seul avec le caviste.

— Que me conseillez-vous comme rouge ?

— Ça dépend de votre goût. Si vous aimez le facile à boire, j'ai un petit beaujolais qui plaît à tout le monde. Mais si vous aimez le solide, alors prenez mon vin corse. C'est un cousin qui me l'envoie.

— Vous êtes Corse ?

— De Bastia, oui, mais il y a longtemps que j'ai quitté le pays.

— Vous vous êtes établi à Paris ?

— Oh non ! J'ai roulé ma bosse. J'ai fait l'Afrique. Il n'y a que six mois que j'ai repris ce commerce. Avant, j'étais au Gabon.

J'ai serré convulsivement le goulot de la bouteille.

— Au Gabon ? Tiens ! Je suis passé à Port-Gentil l'hiver dernier.

— Ça alors, c'est une coïncidence ! Parce que des touristes, à Port-Gentil, on n'en voit pas tellement. J'étais gardien du port. Douze ans, j'y suis resté.

Il me tendit la main.

— Pierre Biancheri, un ancien de la coloniale.

— Je m'appelle Georges Laliment.

— Vous êtes dans les affaires ?

— Je suis écrivain.

— Alors vous avez dû trouver de quoi écrire là-bas, parce que la colonie...

Il a fallu que je trinque aux souvenirs du Gabon. Après le deuxième verre de vin corse, le regard de Biancheri s'est soudain fait pensif.

— Le monde est petit tout de même. Il n'y a pas trois jours j'ai rencontré au bureau de tabac un type qui était au Gabon, eh, à peu près en même temps que vous.

— Je le connais peut-être.

— Il s'appelle... attendez... Nogaro, Jean Nogaro...

Comment je suis rentré, je ne sais pas. J'ai oublié mon steak sur le comptoir et j'ai emporté la bouteille. Je l'ai vidée en arrivant. Je viens de m'éveiller d'un sommeil lourd, plein de cauchemars. Il me semble que je rêve encore.

18 h 30.

Il fallait en finir. Je suis allé jusqu'au bout de mon chapitre. J'ai tué Van Groot d'une balle dans la nuque à six mètres. La boutique était fermée et le ship-chandler faisait ses comptes. Le moment était bien choisi. C'était un samedi soir et il n'y avait aucune chance pour qu'on s'aperçoive du crime avant le surlendemain.

J'ai embarqué Nogaro sur un avion d'Air-Afrique à destination de Brazzaville. Pas de problème. Je le sors du circuit. Théoriquement je n'ai plus besoin de lui. Tout dépend de la façon dont tournera le reste du roman. Il ne faut pas que l'épisode paraisse trop gratuit. Je lui donnerai peut-être des suites, mais plus tard.

Cela posait le problème de l'arme du crime, la carabine Herstal qui ressemble à la mienne. Là j'ai emprunté sans vergogne une vieille ficelle de roman policier. Nogaro la dépose à la consigne de l'aéroport et l'y laisse. Simple et commode, surtout pour moi. On peut l'y découvrir ou non selon que je suis la piste Van Groot ou que je la laisse tomber.

Bon, eh bien, voilà. J'en ai terminé avec Nogaro et avec Van Groot aussi par-dessus le marché. Il est vrai que lui ne m'a pas joué le tour d'exister réellement.

Mercredi 18 décembre, 11 h 30.

Deux jours de bon travail. Les choses commencent à prendre forme. Les cent pages où Ethel fait l'inventaire du mur de sa chambre sont d'une fermeté qui me surprend moi-même. Tout cela tombe en place comme un système de structures mobiles qui trouve chaque fois un équilibre nouveau selon la poussée de la lecture.

Maintenant il faut un point d'orgue, un retour à l'événement pendant quelques pages. Un moment j'ai pensé suivre Nogaro à travers l'Afrique, mais je crois qu'il vaut mieux rester au Gabon. Je vais faire découvrir l'arme du crime à l'aéroport. Cela me permettra une description de la carabine qui fera pendant à celle du mur, mais sur un autre registre, plus détaché, plus superficiel, un peu badin peut-être.

18 h 15.

C'est fait. La carabine est retrouvée. Tout à l'heure ou peut-être demain j'irai chercher la mienne dans le placard pour la décrire. C'est étonnant ce qu'il y a de choses à voir sur un simple objet de ce genre. Naturellement ce ne sera pas avec mes yeux que je la décrirai. Ce ne sera pas *ma* carabine, mais celle du crime. Pour moi, ce qui compte, c'est la crosse par laquelle je l'étreins, je l'épaule. Lorsque j'ai tué ma première antilope, j'y ai gravé une croix au-dessous de mes initiales. Très Buffalo Bill. Mais pour celui qui découvre l'arme à l'aéroport, c'est le canon qui compte, la culasse. Tout s'organise autour du crime, donc de la balle.

C'est Biancheri qui la découvre. Je suis très fier de cette astuce. Puisque la réalité se mêle de ce que j'écris, je contre : je vais la chercher, je mets Biancheri tout vivant dans mon histoire. S'il l'apprend un jour, il ne protestera pas. Les gens adorent ce genre de publicité.

Je suis content de moi. Une cigarette pour me récompenser. Zut, je n'en ai plus. Il faut que je descende en acheter.

20 h 10.

J'essaie de rester calme. Biancheri était au bureau de tabac.

— Vous avez manqué Nogaro de quelques minutes, me dit-il.

— Il vient souvent ici ?

— C'est la troisième fois que je le rencontre. Je ne sais pas où il habite. C'est un drôle de pistolet, vous savez.

Il baissa la voix.

— Je ne crois même pas que Nogaro soit son vrai nom.

— Tiens !

— Il y a un an, quand il est arrivé au Gabon, une dizaine de jours avant Noël, il se faisait appeler Nogaret. Il venait soi-disant de Pointe-Noire et je ne sais même pas où il perchait, mais quinze jours plus tard, quand il a pris une chambre à l'Hôtel de France, ses papiers étaient au nom de Nogaro. Je m'en souviens : c'était le soir de la Saint-Sylvestre et il faisait une de ces chaleurs ! Vous y étiez peut-être à ce moment-là ?

— Non, je ne suis arrivé que le 27 janvier et je suis resté tout juste quarante-huit heures.

— Le 27 janvier ? Eh, le jour du crime !

— Quel crime ?

J'ai posé la question, mais je connaissais d'avance la réponse.

— Un ship-chandler qui a été assassiné.

— Van Groot ?

Ça m'a échappé. Je me suis tout de suite rendu compte que c'était une imprudence. Biancheri a eu un bref regard de surprise.

— Vous vous souvenez du nom ? Pourtant on n'a découvert le corps que le mardi suivant. Si vous n'êtes resté que quarante-huit heures, vous étiez déjà reparti.

— J'ai dû lire l'histoire dans les journaux. Le nom m'aura frappé.

— Vous savez que c'est moi qui ai retrouvé l'arme du crime, mais beaucoup plus tard, le 13 mars pour être exact. Van Groot avait reçu du gros calibre dans la nuque et la police recherchait une arme de chasse. Un jour je vais voir un de mes copains qui est douanier à l'aéroport. Voilà que la conversation tombe sur les objets non réclamés à la consigne.

« Ce n'est pas ce qui manque, il me dit. Il y a même un fusil !

« Un fusil comment ?

« Bof, une carabine de chasse.

Tout de suite, je flaire quelque chose.

« Depuis quand elle est là ?

Il va fureter sur les étagères.

« Depuis la fin janvier.

« Fais voir. »

C'était une carabine Herstal semi-automatique. Je ne sais pas si vous connaissez...

— Oui, oui, je connais. En fait, j'en ai une.

— Aussitôt, je lui dis : « Depuis fin janvier ? Je te parie que c'est avec ça qu'on a tué Van Groot. Ni une, ni deux, je la porte au commissariat ! » Et j'avais raison, monsieur. C'était bien l'arme du crime.

Tandis qu'il parlait j'éprouvais une sorte de vertige, mais non de panique. Il était évident que ma mémoire me jouait des tours. Je devais avoir entendu parler de l'affaire à Port-Gentil et l'avoir enregistrée sans m'en rendre compte. Ben non plus ne s'en souvenait pas l'autre soir, mais il était aussi saoul que moi pendant ces deux jours. Après tout, Biancheri ou moi pouvions nous tromper d'une semaine sur les dates.

J'étais presque arrivé à me rassurer. C'est en rentrant, lorsque je me suis assis à ma table, que j'ai eu le choc.

Je suis là, tremblant, devant mon manuscrit où je peux lire la dernière phrase que j'ai écrite avant de descendre au bureau de tabac :

« — *Fais voir, dit Biancheri. Une carabine ? Et depuis fin janvier ? Je te parie que c'est avec ça qu'on a tué Van Groot. Ni une, ni deux, je la porte au commissariat !* »

23 h 30.

Je rentre de chez Potzky. Il m'a écouté gravement en sirotant un verre de *zoubrovka*. Mon histoire n'a pas eu l'air de l'émouvoir outre mesure.

— Au fond, qu'est-ce qui te gêne ? Ça ne t'est jamais arrivé d'écrire quelque chose dans un roman et de le voir ensuite se produire presque exactement comme tu l'avais raconté ?

— Si, bien sûr, plusieurs fois, mais...

— Mais ça te gêne moins parce que ça se produit après et qu'au fond de toi-même tu as l'impression qu'il existe un lien de causalité entre ton récit et l'événement. Comme la plupart des romanciers tu te prends pour le Bon Dieu : que la lumière soit et la lumière fut. C'est absurde. Tu n'es pas magicien, mais tu te satisfais d'un raisonnement magique dans la mesure où il te flatte. Le hic, c'est qu'ici les choses se produisent avant et que tu les racontes après. L'explication rassurante de la causalité ne joue plus ou elle joue en sens inverse. Au lieu de mener le jeu, c'est toi qui es mené. Alors tu t'affoles. Pourtant réfléchis et tu verras que l'un n'est ni plus, ni moins extraordinaire que l'autre.

— Tu as une explication ?

— Plusieurs, des tas, trop !... Je t'ai déjà expliqué qu'on pouvait imaginer une infinité de continuums espace-temps dans lesquels tout ce que tu peux raconter dans tes livres est aussi réel que ce que tu vis dans celui-ci.

— Je vois, tu vas encore me sortir ton histoire des univers parallèles.

— Parallèles, pas forcément. En l'occurrence, ils seraient plutôt convergents.

— Comment cela ?

Il saisit une feuille de papier.

— Supposons que ton... comment s'appelle-t-il ?

— Nogaro.

— Que ton Nogaro appartienne à un univers où ce que tu imagines est une réalité.

— Je t'arrête tout de suite. Nogaro est une réalité dans cet univers-ci !

— Depuis quand ?

— Depuis qu'il est né, je suppose.

— Je veux dire depuis quand est-il une réalité pour toi ?

— Depuis jeudi dernier, quand je l'ai rencontré au bureau de tabac.

— Non, ce que je veux savoir, c'est à quelle date se situe le premier fait réel que tu connaisses de lui.

— Euh... laisse voir... Biancheri a mentionné son arrivée au Gabon dix jours avant Noël l'année dernière.

— Disons le 15 décembre.

— Mais à ce moment-là il s'appelait Nogaret. C'est le 31 décembre qu'il s'est présenté avec un nouveau nom.

— Bon, quinze jours plus tard. Et toi, quand l'as-tu fait entrer dans ton livre ?

— Jeudi dernier à 18 heures exactement.

— Et tu as changé son nom ?...

— Euh... samedi, je crois... oui, samedi.

— Mettons deux jours plus tard. Quinze jours d'un côté, deux de l'autre : rapport un à sept et demi en gros. Prenons un autre exemple. A quelle date le crime a-t-il été commis ?

— Ça, je sais. Le 27 janvier.

— En somme, quarante et quelques jours après l'arrivée de Nogaro. Et toi, quand as-tu tué Van Groot ?

— Lundi.

— Matin ? Soir ?

— Fin d'après-midi.

— Donc quatre jours après l'apparition de Nogaro dans ton livre. Quarante contre quatre : rapport de un à dix. Ça s'accélère. Prenons la découverte de la carabine maintenant.

— Biancheri a parlé du 13 mars.

— Soit, voyons un peu... quatre-vingt-cinq jours après le point d'origine. Et tu me dis que tu as raconté l'épisode aujourd'hui même ?

— Oui.

— Soit six jours. Rapport de un à quatorze. Nouvelle accélération. Ça doit donner une courbe qui a un peu cette gueule...

Il crayonnait une courbe qui partait presque horizontalement du haut de la feuille et s'incurvait progressivement pour descendre ensuite presque à la verticale.

— Admettons que l'axe des x représente l'écoulement du temps dans notre univers et que nous portions sur l'axe des y les décalages chronologiques successifs entre le moment où tu racontes les choses et le moment où elles se sont produites. La courbe nous donne *grosso modo* une image de l'écoulement du temps dans l'autre univers tel que nous pouvons le percevoir du nôtre. Avec cette accélération il va venir un moment où la courbe de ce que j'appellerai le temps-Nogaro coupera l'axe du temps-Laliment en un point zéro.

Il fit une croix à l'intersection.

— Et alors, qu'est-ce qu'il se produira ?

— Ça, pas la moindre idée ! En réalité, d'ailleurs, c'est plus compliqué que ça. Tu me dis que ton bonhomme a un comportement normal ?

— D'après ce que j'ai vu et ce que m'a dit Biancheri, on dirait.

— Ce qui veut dire qu'au moins depuis le 12 décembre il est entré dans notre chronologie et qu'en ce qui le concerne l'accélération a cessé. Mais ce n'est pas incompatible avec mon hypothèse. Il se peut que tu aies un retard de signaux à rattraper, tu comprends ?

— Non.

Il me versa un grand verre de *zoubrovka.*

— Ecoute. Suppose que je rentre d'un voyage au Japon. Je pars de Tokyo et tu es à Paris. A chaque escale je t'envoie une lettre. La première met dix jours pour t'arriver disons de Hong-Kong, la deuxième n'en met que neuf de Saïgon, la troisième n'en met que huit de Ceylan, et ainsi de suite. Moi, je vis toujours au même rythme, mais pour toi mon temps s'accélère parce que les signaux se tassent devant moi à mesure que j'avance.

— Ça va, je connais. C'est ce qu'on appelle l'effet Doppler et ça sert à mesurer la vitesse des galaxies.

— Bien, tu as des lectures. Donc les lettres

vont plus vite que moi, mais il vient un moment, du côté de Téhéran ou de Beyrouth, où je vais aussi vite, puis plus vite qu'elles. Quand j'arrive à Paris, il reste encore à venir les lettres d'Istanbul, d'Athènes et de Rome. Alors tu me vois vivre à côté de toi, à ton rythme, comme Nogaro, mais en même temps tu continues à recevoir mes lettres qui te racontent des choses que tu sais déjà et dont l'accélération se poursuit jusqu'au point zéro, celui où mon voyage est définitivement du passé, c'est-à-dire où ma courbe-signaux coupe l'axe des x et passe en valeur négative. C'est simple.

Je vidai mon verre de *zoubrovka* et lui fis signe de le remplir de nouveau. C'était simple, en effet, de plus en plus simple.

Je ne sais pas comment je suis rentré.

Samedi 21 décembre, 22 heures.

Trois jours de dur travail, mais je crois que j'ai tout compris. Potzky a raison. Les deux univers, si univers il y a, sont convergents et je vais profiter du week-end pour calculer leur convergence. J'avoue que je suis curieux de savoir ce qui se passe au point zéro. Le tout est de le déterminer avec exactitude.

Pour cela je me suis livré à une série d'expériences. Jeudi matin, en achetant du vin chez Biancheri, je lui ai demandé :

— Dites, ce type, Nogaro, vous aviez l'air de le soupçonner du meurtre de Van Groot l'autre jour. Ce n'est tout de même pas sur sa mine...

Il hocha la tête.

— Non, voyez-vous, Port-Gentil n'est pas grand et on remarque les gens qui vont et qui viennent. Or pendant les quinze jours qui ont précédé le crime, Nogaro et Van Groot ont disparu l'un et l'autre. Introuvables. C'était comme s'ils n'avaient jamais existé. Alors je me suis demandé s'ils n'étaient pas en train de combiner un coup et s'ils ne se sont pas disputés ensuite. Ce n'est qu'une supposition, remarquez, mais le fait est là.

De toute évidence la disparition de Nogaro et de Van Groot correspond aux quelques heures pendant lesquelles j'avais décidé de laisser tomber l'épisode, c'est-à-dire, si j'en crois ce journal, au temps qui s'est écoulé entre le dimanche 15 à 17 h 30 et le lundi 16 dans l'après-midi.

Je suis rentré et j'ai dressé un tableau où je compare les dates réelles des événements d'après Biancheri et celles où je les ai « imaginés ».

ÉVÉNEMENTS	DATE BIANCHERI	DATE MOI
Apparition de Nogaret	14-15 déc.	12 déc. 18 h
Nogaret devient Nogaro	31 déc.	14 déc. 22 h
Nogaro et Van Groot disparus	12 janv.	15 déc. 17 h 30
Réapparition (?)	26 janv.	16 déc. 15 h
Meurtre de Van Groot	27 janv.	16 déc. 18 h
Découverte de la carabine	13 mars	18 déc. 19 h

Restait à calculer la courbe. Mes souvenirs d'algèbre sont assez lointains. J'ai acheté un manuel chez Gibert. Au bachot je me défendais assez bien, mais j'ai vite été noyé. Ce n'est plus le même niveau. Je n'ai jamais été au-delà de $ax^2 + bx + c = y$. Pour autant que je me rappelle, cette fonction donnait bien une courbe du genre de celle que dessinait Potzky.

Il sourirait de mes calculs, mais je ne veux pas l'appeler à l'aide. J'ai le sentiment que cette affaire me concerne seul et que je dois m'en tirer par mes propres moyens. J'y vois comme une péripétie naturelle de ma vie de romancier. Rien d'étrange : une sorte d'accident professionnel comme il en peut arriver à quelqu'un dont c'est le métier de vivre suspendu entre deux univers sans pouvoir toujours distinguer celui de la fiction de celui de la réalité.

Après une nuit de migraines, j'ai décidé d'appeler x le nombre de jours et de fractions de jours écoulés depuis le moment où j'ai « inventé » Nogaro, c'est-à-dire depuis le 12 décembre à 18 heures, et y le nombre de jours séparant le moment où j'ai écrit chaque épisode de celui où il s'est produit dans la « réalité ». Ainsi la valeur de x pour $y = 0$ m'indiquera la date et l'heure exacte du « point zéro ».

C'est assez rudimentaire comme méthode, j'en conviens, mais je peux toujours essayer.

Lundi 23 décembre, 13 heures.

Victoire ! La formule est :

$$-2x^2 - 2x + 364 = y.$$

J'y étais arrivé samedi soir, mais il me fallait une ultime vérification. J'ai donc imaginé de toutes pièces un épisode. La police gabonnaise suit la piste de l'aéroport jusqu'à Libreville, puis jusqu'à Brazzaville, puis jusqu'au Bourget. A Paris elle croit identifier un suspect qui est interrogé sur commission rogatoire de la justice gabonaise, mais finit par se disculper.

J'ai rédigé le passage hier dimanche entre onze et treize heures, soit à $x = 9{,}75$, ce qui me donne $y = 155{,}4$, c'est-à-dire le 19 juillet.

Dès l'ouverture ce matin j'étais à la bibliothèque du *Monde* et j'ai tout de suite trouvé dans la chronique judiciaire du 22 juillet la note que j'attendais :

Sur commission rogatoire, le parquet a entendu samedi M. Pierre Biancheri qui avait été interpellé la semaine dernière au sujet du meurtre de Bernard Van Groot, assassiné en janvier à Port-Gentil (Gabon). M. Pierre Biancheri, commerçant récemment établi à Paris, a pu démontrer son innocence et a été remis en liberté.

Car c'est encore une idée dont je suis assez content. Je n'ai pas voulu introduire de nouveau personnage dans l'histoire. Biancheri m'a donc servi de suspect. Cela ne tire pas à conséquence pour lui puisqu'il a pu se disculper.

J'ai acheté un exemplaire du numéro et je suis allé voir Biancheri.

— Je viens de retrouver ce vieux journal, lui dis-je. C'est là que j'ai vu le nom de Van Groot.

Naturellement il n'a pas eu l'air très satisfait de ma découverte. Je l'ai senti se raidir, devenir hostile.

— Ouais, grogna-t-il, vous avez vu le mien aussi. Comme les poulets n'avaient rien à se mettre sous le bec, ils sont venus me chercher des noises. Mais ils sont tombés sur un os.

— D'habitude ils ne lâchent pas facilement. Comment avez-vous fait pour les convaincre ?

Son œil se fit rusé.

— Vous aimeriez bien savoir, hein ?

— C'est curiosité pure.

— Ouais, eh bien, je vais vous dire une chose : le fils de garce qui a tué Van Groot a signé son coup et tôt ou tard il se fera prendre. Il a laissé un indice que la police ne peut pas se permettre d'ignorer.

— Quel indice ?

Il hocha la tête d'un air entendu.

— La police le connaît et moi aussi. Et croyez-moi, avec tous les emmerdements que m'a valus cette histoire, si j'épingle le bonhomme, il n'ira pas loin.

— Vous pensez toujours à Nogaro ?

— Nogaro ou un autre, j'aurai les poulets aux trousses tant que je ne l'aurai pas démasqué. Alors j'ouvre l'œil. Dites, pour parler d'autre chose, c'est de vous, ça ?

Un livre était ouvert sur le comptoir.

— Euh... oui, c'est mon avant-dernier roman.

— Pas mal. Je ne suis pas tout, mais il y a des choses que j'aime. Vous en avez écrit beaucoup comme ça ?

— Une dizaine.

— Et toujours signés Georges Laliment ? C'est votre vrai nom ?

— Oui, je n'ai pas de pseudonyme. Pourquoi me demandez-vous cela ?

— Oh, pour rien. Je n'ai pas l'habitude de fréquenter des écrivains et les gens changent de nom si facilement. Voyez Nogaro... C'est peut-être un pseudonyme.

— Vous croyez ?

— Eh ! Pourquoi n'écrirait-il pas des livres lui aussi ?

— J'en aurais entendu parler.

— Et si c'était sous un autre nom ?

L'idée m'amusait, car effectivement j'ai songé à faire de Nogaro un écrivain raté en quête de matière pour des romans policiers de bas étage. Cela cadrerait assez bien avec le rôle que je lui fais jouer.

C'est alors que m'est venue soudain une inspiration farfelue.

— Dites, quand vous verrez Nogaro, demandez-lui donc ce qu'il faisait le 29 novembre dernier vers 18 heures.

Biancheri me fixa longuement, l'œil mi-cligné, cherchant à deviner mon jeu.

— Qu'est-ce que vous voulez dire ? Vous savez quelque chose ?

— Non, non, c'est une idée, sans plus. Je crois que je l'ai déjà rencontré. Je cherche à savoir où. Posez-lui ma question.

— Posez-la lui vous-même. Je l'ai invité à réveillonner demain soir avec quelques anciens du Gabon. Si le cœur vous en dit... Il y aura des tripettes à la bastiaise et du cabri à l'huile. Quant à la boisson, ce n'est pas le choix qui manque...

— Je suis très touché, mais je ne voudrais pas...

— Pas de façons, eh ? Si vous n'êtes pas retenu ailleurs, nous vous attendrons à dix heures. Le bec de cane sera sur la porte.

D'habitude mes Noëls se passent en voyage, le dernier à Rio et le précédent à Bangkok, je crois. Cette année j'avais l'intention d'aller fumer un cigare et boire une vodka chez Jan qui reçoit toujours quelques amis polonais. Mais il comprendra.

— Entendu donc, et merci. A demain soir.

Je poserai moi-même ma question à Nogaro. J'ai choisi le 29 novembre parce que c'est le jour où j'ai reçu le prix des Quatre-Fleurs au restaurant La Pérouse pour mon dernier roman. Il y avait le Tout-Paris littéraire et cela me paraît cocasse d'y situer mon Nogaro avec ses airs un peu louches. Il ne détonnera pas tellement. J'ai envie de décrire la scène. Cela me permettra de faire quelques portraits satiriques. J'ai horreur de ce genre de réunions et par-dessus le marché, cette fois, un imbécile de photographe m'a aveuglé avec son flash en pleine figure. J'en suis resté groggy pendant dix bonnes minutes, comme si j'avais reçu un coup de matraque sur la tête. Quand j'ai retrouvé mes esprits, j'avais l'impression de relever de maladie.

Je vais placer mon Nogaro dans un coin, entre un académicien et une plante verte. Ce qu'il fait là, par exemple, je n'en sais encore fichtre rien, mais je trouverai bien quelque chose.

Seulement cette fois je veux faire une expérience. Si la scène se déroule le 29 novembre vers 18 heures, il faut que je l'écrive le matin de Noël un peu avant 6 heures, c'est-à-dire après que j'aurai vu Nogaro et que je lui aurai posé ma question. Je suis surieux de savoir ce qu'il me répondra. Ce sera la contre-épreuve. Je verrai bien si ce que j'écris est prédéterminé avant même que je l'écrive, ou bien si c'est moi qui crée les événements lorsque je les écris.

Mercredi 25 décembre, 5 h 30.

Curieuse soirée... curieuse nuit plutôt. Je viens de rentrer. Un café noir, très fort, deux aspirines... J'ai mon papier devant moi, mon stylo... Au cas où je m'endormirais le réveil est réglé sur six heures moins dix. C'est le moment où il faut que je me mette à écrire si je veux tomber pile sur le rendez-vous. J'ai refait mes calculs hier soir avant d'aller chez Biancheri.

Curieuse soirée... En plus de Nogaro et de moi-même, les invités de Biancheri étaient un ancien douanier corse et un Africain taciturne que je soupçonne d'appartenir à la police gabonnaise. C'est lui qui a mangé les trois-quarts du cabri. Il suçait encore des os il y a une demi-heure. Moi, j'ai surtout fait honneur aux tripettes. Le peu que j'ai mangé de cabri semble arrêté à hauteur de mon pylore.

Pourtant il y avait de quoi le pousser. Je crois que tous les vins d'Algérie, d'Espagne et de Corse y sont passés... Et puis les alcools !... L'ancien douanier avait apporté une vieille *strega* de Sardaigne je crois. De la contrebande, bien entendu. Elle était bonne, mais elle m'a achevé.

La boisson et la nourriture tenaient lieu de conversation. L'Africain mangeait, le douanier buvait et Biancheri, que je sentais tendu et vigilant, nous observait à tour de rôle sans mot dire. J'ai surtout causé avec Nogaro.

Charmant garçon, Nogaro... Il mange peu, mais il boit sec et il tient le coup... mieux que moi. Je ne suis pas surpris de la sympathie que j'ai fini par éprouver pour son personnage. Il est fin et cultivé, avec un fond de dureté qui n'est pas sans séduction... Si c'est moi qui l'ai inventé, c'est réussi.

Moins vingt... Dans dix minutes, je commence à écrire. Il me faut la tête claire. Je me verse une autre tasse de café. Il est encore chaud.

C'était difficile de poser ma question à Nogaro de but en blanc. Il a fallu que j'explique un peu. C'est étonnant comme il a tout de suite compris. Il n'y croyait pas, visiblement, mais il est entré dans le jeu de bonne grâce. Nous avons fait des vérifications de détail. Dans la mesure où mon récit contient des détails, tout colle. Finalement je lui ai parlé de mon idée du 29 novembre.

— D'accord, me dit-il après un instant de réflexion, mais si je vous dis maintenant ce que j'ai fait ce jour-là, cela va vous influencer. Vous voulez savoir si je l'ai fait parce que vous l'écrirez ou si vous l'écrirez parce que je l'aurai fait, mais il y aura maintenant une troisième possibilité : c'est que vous l'écrirez parce que je vous l'aurai dit.

Il me fallut un moment pour saisir le fil de sa pensée à travers les brumes de l'alcool.

— En somme, il faudrait que vous me le disiez sans que je le sache ?

— Exactement. Ecoutez, je vous propose une solution.

Il tira un calepin de sa poche.

— Je vais écrire ici à la date du 29 novembre ce que j'ai fait ce jour-là vers... six heures du soir, dites-vous ?

Son stylo courait sur la page.

— Voilà. Maintenant, vous allez mettre votre signature au dos de la feuille, à la date du 30 novembre, pour qu'il n'y ait pas de doute, vous comprenez ? Signez...

Il rempocha le calepin.

— Maintenant, quand vous rentrerez chez vous, vous écrirez ce que vous pensez devoir écrire. Dans la journée je viendrai vous voir et nous comparerons. Ça va ?

— Euh, oui... ça va. A quelle heure viendrez-vous ?

— Hum... sans vous offenser, il me semble que vous aurez besoin d'un peu de repos. Voulez-vous dans l'après-midi ?

— Avant 18 heures !

Je ne lui avais pas parlé du point zéro ni de mes calculs algébriques. Une peur irraisonnée s'emparait de moi à l'idée de ce qui se passerait à l'instant fatidique.

— Disons 17 heures. N'oubliez pas de me laisser votre adresse.

Moins douze. Le réveil vient d'avoir un petit déclic annonciateur. Plus besoin de lui ; je bloque la sonnerie et je déclenche mon chronomètre. Si mes calculs sont exacts, le top est dans... cent trente secondes.

Je me concentre pour placer le décor et il m'apparaît avec une netteté surprenante. Je suis près de la table, debout, le président du jury à ma droite. A gauche, un peu en avant, les photographes. Je cherche vers le fond de la salle, près de la porte... la plante verte... espèce indéterminée... et l'académicien... j'hésite sur le visage... Gaxotte ? Chamson ?... Pour le moment il est de trois quarts et à demi caché par un bras nu de dame.

Tout est figé et silencieux, comme suspendu dans le temps. L'immobilité me prend à la gorge. L'aiguille du chronomètre court... soixante-huit, soixante-sept, soixante-six, soixante-cinq... Je vais faire entrer Nogaro dans le champ par le fond... non, par la droite... non... D'où vient-il ? Voyons... j'essaie de me concentrer... une sorte d'affolement imbécile me gagne... Il faut que je réagisse. Aucune raison de *prévoir* l'arrivée de Nogaro. Il sera là, c'est tout. Il sera là puisque je l'ai décidé.

Quinze... dix... cinq, quatre, trois, deux, un, top ! Le flash ! Cet imbécile de photographe vient de déclencher son flash ! Une nausée me frappe au creux de l'estomac, il me semble que ma tête va éclater, tout est noyé dans une explosion de lumière blanche... Nogaro !... Il faut que je trouve Nogaro, que j'écrive ce que fait Nogaro... dans quelques secondes il sera trop tard pour le rendez-vous du 29... L'accélération du temps sur l'axe des *y*...

La plante verte émerge. L'académicien a disparu. Où est Nogaro ?... De dos... je le vois de dos qui se dirige vers la porte d'une démarche étrangement hésitante... J'écris...

Ma plume égratigne et troue le papier tant je me hâte pour rattraper le temps qui court... Nogaro dans le couloir... dans l'ascenseur capitonné... le chasseur qui lui passe son pardessus... il sort sur le quai des Grands-Augustins... le froid qui frappe la figure... je suis saoul... la vague de sommeil longtemps contenue déferle sur moi...

Je peux dormir. Nogaro est prisonnier de ma page.

18 heures 10.

C'est le coup de sonnette de Nogaro qui m'a réveillé. Je suis allé me passer une serviette humide sur la figure et préparer un peu de café. Quand je suis revenu, j'ai trouvé Nogaro penché sur ma table.

— C'est ça ?

Pour toute réponse il me tendit son carnet sur lequel je lus cette simple phrase : *Le 29 novembre à 18 heures j'étais au restaurant La Pérouse pour y recevoir le Prix des Quatre-Fleurs*.

— Je ne comprends pas. C'est moi qui recevais le Prix des Quatre-Fleurs, mais vous ?

— Moi aussi.

— Que voulez-vous dire ?

— Vous avez deviné une partie de la vérité. Nous appartenons à deux univers différents et dans mon univers je suis romancier. J'occupe une place qui est approximativement, très approximativement, la vôtre. Nos livres ne se ressemblent pas, mais, chacun dans notre univers, nous avons obtenu cette année tous deux le Prix des Quatre-Fleurs.

— En ce cas, comment se fait-il que vous soyez ici ?

En souriant il prit sur ma table la feuille sur la quelle j'avais fait mes calculs et esquissé ma courbe.

— Pas mal pour un amateur... mais votre éducation mathématique a été un peu négligée, n'est-ce pas ? J'ai eu moins de mal à comprendre parce que j'ai été ingénieur autrefois. J'ai écrit beaucoup de science-fiction sous le nom de Nogaret avant de me lancer dans le policier.

— Dans le policier ? Justement...

— Justement vous y aviez songé, n'est-ce pas ?... Pour en revenir à votre équation, elle est correcte, ou à peu près. Et vous avez bien calculé le point zéro, c'est-à-dire aujourd'hui à 18 heures, ou à 18 heures 4 minutes 52 secondes 5 dixièmes pour être tout à fait exact. Seulement vous avez oublié que la fonction du second degré a deux racines. Vous avez calculé $b - \sqrt{b^2 - 4ac}$, mais il fallait aussi calculer

$b + \sqrt{b^2 - 4ac}$. Pour $y = 0$, il y a deux valeurs de x. Vous avez trouvé le point zéro qui correspond à $x = +13$, c'est-à-dire aujourd'hui à 18 heures, mais vous n'avez pas pensé à l'autre point zéro qui correspond à $x = -14$, c'est-à-dire au 29 novembre à 18 heures.

— La remise du prix des Quatre-Fleurs ?

— Exactement. Nos lignes de temps se sont coupées à ce moment-là comme elles vont se couper de nouveau dans... cinquante-deux minutes. Malheureusement nous occupions les mêmes coordonnées spatiales. J'ai été éjecté de mon continuum et projeté dans le vôtre. Cela aurait pu être le contraire et vous avez dû ressentir une rude secousse.

— Le flash du photographe !...

— Il était bien innocent. Moi aussi j'ai été étourdi sur le moment, quand je me suis retrouvé entre André Chamson et un aspidistra. Sans trop me rendre compte de ce que je faisais, je suis sorti et je me suis mis à marcher le long du quai des Grands-Augustins. J'ai pris un whisky dans un café du côté de la rue du Bac. C'est seulement quand je suis arrivé devant ma porte que j'ai commencé à comprendre.

— Vous avez de la chance.

— Pas tellement. Voyez-vous, chez moi c'est ici. Nous avons la même adresse, le même appartement... avec une autre idée de la décoration, bien sûr. Chacun ses goûts...

Il eut pour mes meubles et mes bibelots un regard qui me déplut.

— J'ai commencé à comprendre quand j'ai lu votre nom sur la porte.

— Vous le connaissiez ?

D'un air gêné, il tira une cigarette et l'alluma.

— Oui, je le connaissais... Ecoutez, mon vieux, il ne faut pas que ce que je vais vous dire vous bouleverse outre mesure, mais il faut que je vous le dise. En réalité, vous n'êtes qu'un personnage dans le roman que je suis en train d'écrire...

— Pardon ! c'est le contraire ! Le personnage, ce n'est pas moi, mais vous. Je vous ai inventé de toutes pièces !

— Quand ?

— Eh bien, je vous l'ai dit, le 12 décembre.

— Moi, je vous ai inventé en janvier dernier, quand vous avez tué Van Groot.

— Quand j'ai tué Van Groot ?

— Oui, dans mon livre vous l'avez tué, et comme cet univers-ci est l'univers fictif de mon livre, vous l'avez bien tué réellement en ce qui vous concerne. Vous ne vous souvenez pas parce que vous étiez saoul. J'ai tout un passage où j'explique votre geste par les frustrations que l'alcool a libérées en vous. Avec votre carabine vous vous preniez un peu pour Buffalo Bill, n'est-ce pas ?

Il se dirigea vers le placard.

— Il y a des points de coïncidence entre nos appartements. Je suppose que c'est là que vous rangez votre cognac ?... La même marque que moi. Pas extraordinaire, hein ? Tenez, buvez ça. Vous êtes tout pâle.

J'obéis machinalement. L'alcool fit monter en moi une bouffée de révolte.

— Mais enfin, c'est impossible ! c'est absurde ! Vous avez monté cette machination pour me mettre sur le dos votre propre crime ! Je ne marche pas dans votre histoire à dormir debout !

— Qu'est-ce qui est impossible ? Qu'est-ce qui est absurde ? Que je sois entré dans votre univers ? Demandez à votre ami Potzky, qui est aussi le mien, par parenthèses, sauf que pour moi il s'appelle Henryk et non Jan. Il se produit des torsions dans l'espace-temps et il arrive qu'un univers en coupe un autre. Mon aventure est plus fréquente que vous ne semblez le croire. Vous n'avez jamais entendu parler de disparitions mystérieuses, de réapparitions inattendues, d'amnésies inexplicables ? Pour les gens de mon univers, je suis disparu soudainement le 29 novembre pendant la remise du Prix des Quatre-Fleurs et je réapparaîtrai non moins soudainement le

25 décembre à 18 heures, dans une vingtaine de minutes environ, quand nos lignes de temps se croiseront de nouveau. Personne ne saura ce que je suis devenu entre temps. Moi si, bien sûr, mais je me garderai de le dire... sauf à Potzky peut-être.

— Donnez-moi un peu plus de cognac.

— Vous buvez trop. Je vous avais fait un peu alcoolique, mais pas à ce point. On ne surveille jamais assez ses personnages. Dans mon idée, vous n'étiez pas très sympathique, vous savez. Genre nouveau roman. J'ai horreur de ça. Je ne pouvais pas deviner que dans votre univers la critique serait d'un autre avis et vous attribuerait le Prix des Quatre-Fleurs. J'aurais dû m'occuper de vous plus tôt.

— Mais enfin, tout ce que j'ai écrit depuis le 12 décembre...

— C'est moi qui vous l'ai fait écrire.

Il jeta une liasse de feuilles sur la table.

— Vous trouverez votre histoire là-dedans, racontée à l'envers, bien entendu.

— A l'envers ?

— Quand j'ai compris ce qui se passait, j'ai fait mes calculs, plus vite que vous heureusement. Votre courbe est astucieuse, mais vous n'en avez tracé que la moitié. Si vous aviez tenu compte des deux racines de l'équation, vous auriez constaté qu'après avoir coupé l'axe des x le 29 novembre, la courbe monte en s'incurvant, atteint un sommet entre le 11 et le 12 décembre, puis redescend comme vous l'avez dessinée. Cela veut dire qu'à chaque instant de l'année dernière, dans mon univers correspondaient deux instants dans celui-ci, un entre le 29 novembre et le 12 décembre, un autre entre le 12 et le 25 décembre, mais que la première série se déroulait en sens inverse dans les deux univers...

— Excusez-moi, mais je ne comprends pas très bien...

— Il ne me reste que huit minutes. Je n'ai pas le temps de vous expliquer et je me demande si j'y arriverais même si j'avais huit heures. Bref, j'ai compris qu'à partir du 12 décembre je serais livré aux caprices de votre imagination, puisque nous sommes dans un univers où vous êtes réel et où je ne le suis que provisoirement. Dieu sait quelles perturbations vous auriez amenées dans ma vie. Alors j'ai tablé sur le fait qu'étant réels tous les deux, nous nous trouvions à armes égales et, entre le 29 novembre et le 12 décembre, je vous ai raconté à l'envers en train de raconter et de faire ce que vous avez raconté et fait à l'endroit entre le 12 et le 25 décembre.

Je me versai moi-même un verre de cognac.

— Qu'est-ce qui va arriver maintenant ?

— Pour moi, c'est assez simple : à 18 heures 4 minutes 52 secondes 5 dixièmes, je réintégrerai mon univers, c'est-à-dire que je resterai sur place, mais dans mon appartement. Pour vous, l'avenir est un peu plus sombre...

— Que voulez-vous dire ?

— En ce moment Biancheri est en train de rédiger sa lettre de dénonciation au procureur de la République de Libreville. La suite dépendra de ce que j'écrirai tout à l'heure, quand je serai rentré chez moi. J'avais pensé vous envoyer tuer Biancheri pour le faire taire, mais cela vous ferait deux cadavres sur les bras. Par sympathie pour vous, je préfère laisser les choses suivre leur cours. Vous aurez des circonstances atténuantes. Et puis, maintenant que je vous connais, un meurtre délibéré, ce n'est pas votre genre. Vous n'avez pas l'étoffe.

— Mais... mais pourquoi Biancheri me dénoncerait-il ?

— Son indice, mon vieux ! Vous oubliez que vous avez gravé vos initiales sur la crosse de votre carabine. Très Buffalo Bill, hein ? G.L. : Biancheri ne pense pas vite, mais il a fini par faire le rapprochement.

— De quelle carabine parlez-vous ? La mienne est ici, dans ce placard !

— Vous êtes sûr ? Excusez-moi, l'heure approche. Quarante secondes... Ne vous frappez pas, mon vieux. Je ne pense pas que je puisse vous avoir un acquittement, mais je vous donnerai un bon avocat. Van Groot n'était pas tellement aimé à Port-Gentil. Vous en aurez pour deux ans au maximum... Attention ! Cinq, quatre, trois, deux... au revoir, ami !

Il n'était plus là. Je suis resté je ne sais pas combien de temps les yeux fixés sur le placard entrouvert où je distinguais, dressé contre le mur du fond, l'étui de ma carabine.

Et puis je me suis levé pour aller le prendre, mais dès que je l'ai saisi, j'ai compris à son poids qu'il était vide.

VOCABULOSAURE

A André Martel

Quand les premiers mots disparurent, nul n'y prit garde. C'étaient pour la plupart des adverbes et ils furent aussitôt remplacés dans les écrits et sur les lèvres des hommes par des synonymes ou des expressions équivalentes. Seule une tribu d'Amazonie, dont la langue particulièrement pauvre ne possédait que deux adverbes, l'un exprimant la vivacité, l'autre la lenteur, se trouva plongée par la perte du premier dans un état de torpeur tel que la nature et les tribus voisines la firent disparaître en quelques jours.

Les fuites d'adverbes se multiplièrent au cours des semaines suivantes. Il en résulta dans le monde entier un indéfinissable malaise. Le concept s'évanouissant avec le mot, on sentait bien un changement, mais on était incapable de dire en quoi il consistait. Quand *gentiment* disparut, par exemple, on cessa de faire les choses avec gentillesse, mais on n'avait pas forcément envie de les faire brutalement.

Le départ des adjectifs fut plus sensible. Les choses soudain devinrent moins riches, moins savoureuses, moins intéressantes. Elles y gagnèrent d'abord en netteté, mais ce fut pour se transformer peu à peu en schémas abstraits que seuls quelques esprits particulièrement clairvoyants parvenaient encore à distinguer les uns des autres.

La situation s'aggrava quand les substantifs à leur tour prirent le large. Ils ne partaient jamais seuls, mais avec toute une famille de composés et de dérivés. D'autre part les disparitions se produisaient à peu près simultanément dans toutes les langues. Or d'une langue à l'autre, deux mots n'ont jamais tout à fait le même contenu. Il en résultait des effacements en chaîne. Ainsi un beau jour *président* disparut en français. Aussitôt *chairman* disparut en anglais, entraînant *chair* et, de nouveau en français, non seulement *chaise*, mais *chaire*. *Chaire* entraîna en espagnol *catédra* et *catedrático* qui, par contrecoup, firent disparaître *cathèdre* et *cathédrale* en français. Immédiatement *duomo* en italien et *Dom* en allemand s'évanouirent. Bien entendu *dôme* en français subit le même sort et les Parisiens éberlués qui déjà ne savaient plus très bien si la France était gouvernée par un roi ou un empereur, se demandaient en passant comment diable pouvait bien s'appeler cette machine ronde qui surplombait l'Hôtel des Invalides.

Il y eut des disparitions plus graves, notamment celle du mot *comité*. Toute la vie politique en fut ébranlée. Tant que cela fut possible, on dit *commission* ou *conseil*, mais ce n'était pas la même chose et cela créait des confusions. Le pire était qu'en russe *comité* se dit *soviet*. L'U.R.S.S. y perdit un S, ce qui n'était pas dramatique, mais les communistes de la vieille garde, désorientés, ne savaient plus de quoi ils devaient demander partout l'instauration, cependant que les jeunes couches du Parti, privées de modèle historique, se laissaient aller à de regrettables tendances révisionnistes.

D'ailleurs tout cela était déjà dépassé. Dans la mesure où le vocabulaire affectif le permettait encore, l'inquiétude, puis l'angoisse, la peur, la panique se répandirent dans une humanité condamnée non seulement au mutisme, mais encore à la confusion mentale, à l'impuissance intellectuelle, au vide psychologique.

A la ruine aussi. Economiquement le secteur le plus frappé fut celui du livre. Les journaux s'en tiraient en multipliant les photographies, la radio et la télévision en passant des disques de chanteurs yéyé qui, méprisant le langage articulé, n'étaient pas touchés par le fléau. Mais que pouvaient faire les éditeurs et les libraires en constatant, jour après jour, qu'ils vendaient plus de papier blanc que de papier imprimé ?

Les fabricants de dictionnaires tentèrent de réagir. Il y eut au téléphone un dialogue difficile entre la maison Larousse et la direction de l'*Encyclopaedia Britannica.*

— *Our... er... volume it is I think... well, volume seventeen is almost... hem... almost blank !*

— A la... page... oui, page... euh... six cent trente-six du *Petit Larousse*, il reste... euh... seulement trois mots : *marrube, marsault* et *marsupial.*

— *Oh, marsupial, we've got it too !... Er... I say, we ought to do something about it !*

— Oui... Il faut demander à... à un... à un homme, vous savez, qui connaît... le... le problème... euh... bien.

Le mot d'*expert* venait de disparaître, mais il avait laissé suffisamment de rémanences dans les circuits cérébraux pour qu'il fût possible de cerner sa signification approximative. Le professeur Schnorkel, de la Salpêtrière, fut désigné. C'était un psychiatre taciturne qui, faisant peu usage des mots, était moins gêné que d'autres par leur disparition. Ses travaux sur les troubles du langage faisaient autorité.

Selon son habitude, il considéra longuement son assistant sans mot dire. C'est seulement quand il eut terminé le nettoyage méticuleux de sa pipe qu'il posa la première question :

— Que pensez-vous ?

— Je crois... qu'il faudrait comprendre... analyser le... enfin voir...

— Comprendre quoi ? analyser quoi ? voir quoi ?

L'assistant fit les yeux ronds et ne répondit pas. Le professeur Schnorkel pointa vers lui sa pipe.

— Il vous manque les substantifs. J'ai remarqué ceci : il est plus facile d'employer les verbes intransitifs que les verbes transitifs. Pourquoi ?

— Euh...

— Hypothèse : parce que le nombre des substantifs pouvant servir de... de...

Le mot *complément* avait disparu. Le professeur fronça les sourcils et passa outre.

— ... pouvant servir d'objet est anormalement bas. Vérification statistique à faire. Il y a perte de mots. C'est un cas collectif de... de...

— D'aphasie ?

— Oui, d'apha... d'a... comment dites-vous ?

— D'ap... de... je dis de...

Aphasie venait de disparaître.

Un vent d'oubli soufflait sur la mémoire des deux hommes. Par vagues, par nappes, par strates, les mots étaient emportés. Arc-bouté contre la tempête, le professeur Schnorkel serrait si fort les dents qu'il cassa le tuyau de sa... de sa... il ne savait plus.

— On fait... quoi ? demanda l'assistant.

— Dormir... parvint à murmurer le professeur.

Une heure plus tard des infirmiers qui passaient les trouvèrent plongés dans un état voisin de la catalepsie. Ils les transportèrent au pavillon des catatoniques avant de succomber eux-mêmes à l'étrange mal.

Quand commença l'exode des verbes, ce fut la paralysie générale. Sur toute la planète les hommes, les femmes, les enfants interrompirent le geste commencé et tournèrent des yeux vides vers le monde sans nom qui les entourait. Certains s'étendaient sur le sol, d'autres marchaient en rond, d'autres restaient plantés là, un bras ou une jambe en l'air, une grimace ou un sourire inachevés sur le visage.

L'exode des verbes dura tout un jour. Les derniers hommes sur terre à en ressentir les effets furent les diplomates britanniques. Habitués à ne jamais trahir sous leurs expressions ou leurs gestes l'existence d'une pensée consciente, ils avaient fini par s'en passer et ne communiquaient entre eux que par ces onomatopées de bon ton qui sont le langage de l'*Establishment : hem... ah... er... harumpf...* Mais quand vint cinq heures et que le thé ne vint pas — il n'y avait plus de thé, il n'y avait plus d'heure, il n'y avait plus de chiffre cinq, il n'y avait même plus de verbe venir — ils sombrèrent à leur tour dans une prostration profonde.

Au coucher du soleil, ce soir-là, l'espèce entière des hommes était devenue un immense troupeau de larves silencieuses.

A l'exception d'André Martel.

Seul dans sa maison de Vincennes, il travaillait depuis plusieurs jours à un poème et ne s'était aperçu de rien. Poète consciencieux, il se fabriquait ses mots selon les besoins de son inspiration et se servait rarement deux fois du même. C'est dire que la disette ne l'avait pas touché. Bien que les noms propres eux aussi aient depuis plusieurs heures commencé leur migration, il avait gardé une parfaite conscience de son identité, car méprisant son patronyme prosaïque, il s'était décerné à lui-même le nom et *titrhonore* de *Martélandre, Papapafol du Paralloïdre*. Vincennes n'existait plus, mais il savait, lui, qu'il habitait aux *Vinchênes en Panamie*.

Tandis que la nuit montait aux fenêtres de sa chambre, il relut la première strophe de son poème :

Zombres aux grizieux qui m'enregardent boccamutes !
Le jor baisséfluit. Mes clarreaux se désillucent.
Déclotévous de vos retires, prochévous de la tablamoi.
Fopavoirpeur, Zombres, jassuis un tousseul :
La monamie allépartie au Kirevienplu.

Deux ou trois mots — *aux, qui, mes*... — étaient presque effacés, comme si l'encre avait pâli. Il les repassa soigneusement au crayon-feutre, puis il soupira, bâilla, s'étira. Il faisait très noir maintenant. La rue était plongée dans l'ombre car depuis quelques minutes le mot *lumière* à son tour était parti.

— Jalampallume, dit André Martel.

Et il lampalluma.

Trois ou quatre numéros du *Monde* et quelques prospectus l'attendaient dans la boîte aux lettres. Il retourna dans sa chambre pour lire le journal. A vrai dire, le mot *monde* n'existait plus, mais comme André Martel appelait son quotidien favori le *Pancosmepakon*, cela ne le gênait guère. Pourtant il eut un choc quand il regarda la première page. Elle était pratiquement blanche. Une centaine de mots à peine y surnageaient, mais leur nombre diminuait rapidement. Sous ses yeux, *compromis* se tortilla, clignota un instant, puis se volatilisa avec une brève lueur violette.

— Mer..., voulut s'exclamer André Martel, mais il ne se souvenait déjà plus de ce qu'il voulait dire.

Il se ressaisit à temps.

— Merdre cornegidouille ! s'exclama-t-il.

Les mots n'étaient plus qu'une cinquantaine.

— Mazils se camparafoutent, sécoyons !

Le journal était pratiquement vide et déjà André Martel sentait sous ses doigts le papier devenir mince, évanescent, irréel.

— Lonvoipurien... purien... rillen, murmura-t-il. Oucéquisontallés ?

Laissant partir le journal en fumerolles, il se dirigea vers la bibliothèque et saisit un volume de Victor Hugo. Blanc. Un volume de Shakespeare. Blanc. Un volume de Maïakovski. Blanc.

Blanc le petit livre de Mao, blanc Proust, blanc l'indicateur des chemins de fer, blanc Garcia Lorca, blanc le catalogue de la Manufacture des Armes et Cycles de Saint-Etienne.

— Olémots ! cria-t-il.

Pris d'une inspiration soudaine, il saisit sur les rayons Rabelais, Lewis Carroll, San-Antonio, Alfred Jarry, Raymond Queneau et les jeta en vrac sur la table. Dès qu'il eut commencé à les feuilleter, il poussa un soupir de soulagement. Ils n'étaient pas blancs, eux. Leurs pages grouillaient toujours d'une faune phonitruante et d'une flore verboyante.

En somme ceux qui disparaissaient, c'étaient les mots officiels, ceux du dictionnaire. Fébrilement André Martel saisit le Larousse et chercha le mot *mot*. Il était là, avec sa carte de videntité :

MOT, n. m. (lat. *muttum*, grognement). *Son ou groupe de sons servant à désigner un être, une idée.*

Drôle de bête : trois pattes à l'initiale, un œil médian tout rond et deux bras étendus en forme de T. Attention ! il avait l'air de vouloir se trotter. Le M ondulait comme une chenille et le T faisait des signaux de sémaphore. André Martel concentra son attention sur le O. Il le vit soudain se tordre en amibe. Les lignes s'emberlificotèrent en un graphisme inintelligible.

Ça se prononçait, ce machin-là ? Mais comment ? C'était un... un... André Martel fit un violent effort sur lui-même.

— Un mot ! cria-t-il.

Le mot *mot* reprit approximativement sa forme.

— Un mot, mot, mot, mot..., répéta André Martel.

A chaque fois les lettres devenaient plus nettes, plus rigides. Le poète s'épongea le front. Le mot en profita pour tenter une disparition quasi instantanée.

— Hé ! ouséquiva suila ? Mot, mot, mot, mot, mot, mot, mot...

Les choses rentrèrent dans l'ordre.

— Mot, mot, mot, mot, mot..., continuait André Martel, et il finissait par en avoir mal à la gorge.

Saisissant une feuille de papier, il écrivit *mot* au crayon-feutre une fois, deux fois, trois fois. Mais il n'allait pas assez vite. Le trait se déliait aussitôt tracé, serpentait à travers la page en un gribouillis illisible et montait même à l'assaut de la plume.

— Mot, mot, mot, mot, mot...

L'écriture reprit sa fermeté. Tout en continuant sa litanie et sans quitter de l'œil ni la page d'écriture, ni le dictionnaire, André Martel saisit un dictaphone dans un tiroir. Il enregistra une centaine de mots, mots, mots, mots avant de déclencher la marche arrière, puis la lecture sur haut-parleur.

— Mot, mot, mot, mot, mot..., disait la machine au rythme d'un mot par seconde.

Une minute et demie de répit. Il suffirait de prendre le relais pendant les quinze secondes de rebobinage quand la bande serait à bout.

— Je te tiens, hein ? lança mentalement André Martel au mot *mot* dont le o le regardait méchamment sur la page du dictionnaire.

— Pas pour longtemps, répondit une voix dans sa tête. Je m'évaderai quand tu seras fatigué et quand les piles du dictaphone seront à plat. Nous n'en sommes pas à deux ou trois jours près.

— Qui, vous ?

— Les mots. Dans huit jours nous aurons évacué cette planète.

— Tiens ! Et où allez-vous ?

— Sur une des planètes d'Aldébaran, nous avons trouvé une race de quadrumanes relativement évolués et aptes à la phonation. Nous allons nous fixer sur eux.

— Parce que vous vous fixez sur les gens ?

— Nous sommes des symbiotiques. Il nous faut un support. Nous nous sommes servis des hominiens pendant une centaine de siècles, mais c'était un pis-aller. Si les dauphins avaient eu des mains et des pouces opposables, nous n'en serions pas où nous en sommes.

— Et où en êtes-vous ?

— Ecoute, je ne suis pas à l'aise sur cette page. La colonne du dictionnaire est vraiment très étroite. Si tu arrêtais ton dictaphone, je pourrais sortir de là et te donner toutes les explications que tu désires.

— Ouais, tu vas en profiter pour t'échapper.

— Je te donne ma parole de mot que non. Je m'en irai quand tu me le diras.

Dès que le dictaphone fut arrêté, il y eut un éclair silencieux et le mot MOT s'inscrivit en majuscules de feu sur le mur de la chambre.

— N'aie pas peur, dit le mot. Tu dois connaître ce phénomène. On en parle dans la Bible.

— Parce que vous avez aussi de la religion ?

— Bien sûr. Souviens-toi : *In principio erat Verbum*. Le peuple de Dieu, c'est nous.

— Rien que ça ! Et toi, je suppose que tu es le pape.

— Je suis le grand prêtre de ma tribu ou de ma langue, comme tu dirais. Dans chaque langue le mot *mot* est le grand prêtre, le gardien de la tradition, le conservateur de la loi, le...

— Bon, bon ! Et, dis-moi, Ta Sainteté, vous êtes beaucoup de tribus comme ça ?

— Plus de deux mille, hélas !

— Pourquoi hélas ?

— Jadis, quand nous avons quitté notre planète natale pour fuir un cataclysme cosmique, nous ne formions qu'un seul peuple uni, puissant, bien organisé. Tout s'est gâté à l'arrivée. La tour de Babel, c'était notre astronef, le seul qui soit parvenu jusqu'à la

Terre. Les autres se sont perdus dans l'espace. Il y avait un peu moins de deux mille rescapés. Maintenant nous sommes plus de cent millions.

— Eh, de quoi vous plaignez-vous ?

— Cent millions divisés, étrangers les uns aux autres, ennemis parfois...

— A qui la faute ?

— Aux circonstances, sans doute, et aussi à la nature humaine. Vois-tu, quand nous sommes arrivés, les hommes étaient peu nombreux, très dispersés, sans moyens de communication et, par surcroît, assez brutaux dans leurs relations avec leurs semblables...

— Ça, ils le sont restés.

— Je ne te le fais pas dire. Nous, au contraire, nous avons toujours été une espèce hautement différenciée. Chacun de nous est spécialisé dès sa naissance et joue un rôle précis dans la communauté. Nous ne pouvons pas vivre si nous ne sommes pas organisés, si nous n'avons pas un contingent minimum de mots-ouvriers, de mots-intellectuels, de mots-soldats, de mots-artistes. Il a donc fallu improviser des équipes de survie à effectifs réduits, chacune se greffant sur un groupe humain. Ce fut le début de notre *diaspora*, car pour retrouver des effectifs compatibles avec une différenciation de civilisés, il fallut que chaque équipe suive de son côté l'évolution de son groupe, se transforme, se divise, essaime avec lui et subisse avec lui, malheureusement, toutes les promiscuités, toutes les mutations, tous les métissages, même les plus dégradants, même les plus répugnants...

— Hé, hé, dis, ce n'est pas un peu raciste, ça ?

— Mon rôle est de préserver la conscience d'espèce. Vous êtes une race prolifique, mais incroyablement particulariste. Nous avons dû épouser vos querelles, prendre part à vos guerres, leur servir de prétexte souvent...

— Bilan négatif, quoi ?

— Non, non ! Une centaine de nos tribus qui ont atteint un degré de développement tout à fait honorable, doivent beaucoup à leur cohabitation avec les hommes. Vos grammairiens nous ont donné des lois qui ne sont ni plus absurdes, ni plus injustes que d'autres. Vos linguistes nous ont pourvus d'une médecine, d'une sociologie, d'une psychologie. Vos orateurs nous ont fait participer à la vie de la cité...

— Et les poètes ?

— Ah, ceux-là !

— Quoi, ceux-là ?

— Quand je dis ceux-là, je veux dire aussi les mathématiciens, les philosophes, les techniciens, les publicitaires, enfin tous ceux qui se croient permis d'inventer des mots.

— Parce que c'est défendu ?

— Ça devrait être défendu. Il n'est pas admissible qu'une espèce comme la nôtre, avec ses traditions, son passé, sa culture, laisse ses processus génétiques aux mains d'un animal .. somme toute inférieur !

— Hé là ! inférieur toi-même !

— Et je ne parle pas des langages où il n'y a même plus de mots : l'algèbre, les cartes perforées, le fortran, que sais-je encore ? C'est une véritable invasion ! On n'est plus maître chez soi !

— Hé, ho ! Il s'agit de savoir qui est le maître, celui qui parle ou celui qui est parlé ? Moi, des mots, je t'en fabrique quinze à la douzaine !

Le o s'incurva en une moue de mépris.

— Des mutants ! Tu peux les garder, tes bâtards ! Nous, nous préférons partir.

— Eh bien, bon voyage.

— Ceux qui nous font partir, ce sont les gens comme toi, qui méprisent les Saintes Structures et bafouent la tradition du Divin Phonème. Autrefois...

— Ecoute, Papemot, je t'ai dit bon voyage. Ce sont des choses qu'on ne répète pas.

Interloqué, le mot cligna du o et se tut. Puis il se ressaisit, le m pincé et le t solennel.

— Ahem, ahem... Au moment de quitter

cette planète, commença-t-il, je tiens à dire que ce n'est pas sans une profonde émotion...

— Ah non, grogna André Martel, pas de gagagoulis de barbillothèque !

Et il lança le volume de San-Antonio contre le mur. Le mot disparut instantanément.

— Vocabulosaure ! dit André Martel.

Puis il se leva et descendit dans la rue. Il ne faisait ni noir, ni clair, puisqu'il n'y avait plus de nuit, plus de jour. Dans le petit café du coin les clients de la veille étaient affalés sur les banquettes. Le gros garçon joufflu, immobile derrière le comptoir, n'en finissait pas d'essuyer un verre. Mais rien de tout cela n'eut de réalité jusqu'au moment où André Martel survint et lampalluma.

Il considéra le garçon en hochant la tête. Il avait dû avoir un nom autrefois.

— Potami, dit André Martel, jetonymoye Tronchelard.

Une lueur de vie passa dans les yeux de Tronchelard.

— Tronchelard, potami, dit encore André Martel, corlomignote à cézigue un callifolibingali.

Tronchelard corlomignota un callifolibingali et le servit dans un grand verre qu'il plaça sur le comptoir, après quoi il vaqua le plus naturellement du monde à ses occupations.

— Dixivici, dit le Martélandre en sortant dans la rue. Aux autres, maintenant.

Ce matin-là il n'y eut pas d'aurore aux doigts de rose, mais la soleillance orlingot et roujattila bousbouilla en une glorive de poésions pancosmiques.

RÉCURRENCE

Au soir du jour où furent vaincus les Hommes de la Plaine, Thog monta seul vers la Grotte aux Images pour y passer la nuit comme il était de coutume que le chef le fît lors de son avènement. Ses membres étaient lourds et douloureux, mais le triomphe gonflait sa poitrine. Sous ses yeux la vallée s'étendait au loin vers d'incroyables distances, libre désormais pour la horde. Thog sentit passer dans son cœur une sorte de vertige qui était comme une idée de l'avenir. A l'entrée de la grotte le chaman l'attendait avec dans une écuelle la boisson noire du sommeil. Il but d'un trait et alla s'allonger dans la fosse fraîchement creusée le long du mur du fond parmi les ossements des Ancêtres. Toute la nuit il dormit dans l'ombre et rêva. A l'aube un rayon de soleil frappant son visage l'éveilla et tandis qu'il s'éveillait, il fit un dernier rêve.

. . . .

Unité Syntactique G 407 du Groupe d'ordinateurs Delta 8088
Programme Récurrence

01

12 mars 0900 heures
J'enregistre 5 documents codés par le docteur Valberg, assistant du professeur Boulaye

01.1

Enregistrement magnétophonique direct
Caussade, Jean, 57 ans, marié, 3 enfants, ancien doyen, professeur d'histoire de l'art
Début de citation
Cela commence par une odeur de terre... oui, de terre... Et puis je pense à du sang, du sang humain, n'est-ce pas ? Et j'y pense avec plaisir, avec délectation ! Vous avouerez que cela ne me ressemble pas, mon cher collègue ! Je vois des crânes qui éclatent, des gens qu'on étripe... et sur le moment j'aime cela, mon cher, il n'y a pas de doute, j'aime cela ! Je deviens sanguinaire. Ce matin, j'ai senti l'odeur au moment où l'agent de la circulation

me fermait le passage au carrefour de l'Hôtel de Ville. Alors j'ai jailli de ma voiture avec des hurlements sauvages et j'ai assailli le malheureux à coups de serviette ! Il a une ecchymose au front. Si l'objet avait été plus dur, je pouvais le tuer net. Le commissaire a bien voulu arranger les choses et mon médecin m'a prescrit des calmants... Je suis calme, très calme, mais j'ai peur, mon cher... J'ai peur... Dites, Boulaye, est-ce que je deviens fou ?
Fin de citation

01.2

Extrait d'une fiche clinique du service de psychiatrie de l'hôpital Saint-Jacques
Labat Louis, 31 an, célibataire, sans profession
Hospitalisé à la suite d'une agression sur la voie publique. Contexte alcoolique. D.T. Psychose caractérisée. Violent. Avant chaque crise se plaint de sentir une forte odeur de terre. L'accès de violence se produit dans les minutes qui suivent.

01.3

Extrait d'une lettre personnelle adressée au professeur Boulaye

Boulaye, Marguerite, 71 ans, veuve, retraitée
Début de citation
Tu vas te dire que ta vieille maman devient folle, mais ce matin tu ne devineras jamais ce que j'ai demandé à Pierrette pour mon petit déjeuner : un bifteck saignant ! Pierrette n'en revenait pas de me le voir déchirer à belles dents comme une sauvage. Ça m'a fait du bien. J'avais mal dormi à cause de la terre qu'on a remuée dans le jardin. Et puis le soleil m'a réveillée, mais j'ai toujours cette odeur de terre dans le nez.
Fin de citation

01.4

Extrait du livre *La vocation d'un poète* (Bergerac, 1969) de Carvailhac, Claude, 43 ans, marié, sans enfants, écrivain
Début de citation
La fureur poétique est une véritable colère qui monte des profondeurs de l'être et déchaîne les instincts primitifs. Découvrir sa vocation poétique, c'est découvrir la clef qui libère ces instincts. Pour moi qui fus élevé en Périgord, pays de gouffres et de cavernes, ce fut toujours la puissante odeur de terre fossile qui monte des couches argileuses où dorment les restes

de nos lointains ancêtres. Sa présence impérieuse efface toute autre réalité. Venu du fond des siècles, le souffle des pensées sauvages m'emporte vers des violences qui ne sont pas seulement celles du langage.
Fin de citation

01.5

Enregistrement magnétophonique direct
Bussière, Judith, 28 ans, mariée, 1 enfant, femme de ménage
Début de citation
Non, monsieur le professeur, non, je n'ai rien contre Fernande. Je ne sais pas ce qui m'a pris de lui casser mon balai sur le dos... Une odeur de terre ? Vous savez, dans notre métier, des odeurs il y en a tellement... Mais maintenant que vous me le demandez, oui, j'ai pensé à une cave... ou à un souterrain. C'est peut-être ce qui m'a paniquée. Je ne peux pas supporter d'être sous terre. Il paraît que c'est de la clau... clausto quelque chose... Ça me rend comme folle.
Fin de citation

02

12 mars 1207 heures
Question du professeur Boulaye
Ces cinq témoignages peuvent-ils s'intégrer à un schéma significatif ?
Réponse
Données insuffisantes

03

15 mars 0914 heures
J'enregistre une deuxième série de documents codés par le docteur Valberg. Ils sont accompagnés d'un ordre d'analyse
Réponse
142 documents enregistrés
53 fiches cliniques
37 extraits de journaux
28 enregistrements magnétophoniques
24 témoignages écrits
L'analyse révèle 3 thèmes fondamentaux
1. Odeur de terre
2. Souterrain
3. Violence
Association des thèmes
Association 1 - 2 80,2 %
Association 1 - 3 77,3 %

Association 2 - 3 52,5 %
Association 1 - 2 - 3 48,4 %
Probabilité : 4,1 %
Schéma significatif

04

15 mars 1924 heures
Communication du professeur Boulaye
Je rentre à l'instant d'une réunion au ministère de la Santé publique et des Affaires sociales. Des observations analogues aux nôtres ont été faites un peu partout, mais c'est nous qui sommes les plus avancés. Explorez vos mémoires sur les 12 derniers mois. Recherchez dans tous les domaines des exemples d'association des thèmes 1, 2 et 3. Recherchez tous les autres thèmes associés. Analysez leur répartition et leurs relations structurales.

05

15 mars 2005 heures
Réponse
J'ai trouvé 18 722 exemples dont 613 que j'élimine comme douteux. La calculatrice C 221 donne les tableaux d'analyse détaillés.
A ce stade il y a 5 thèmes apparents :

1. Odeur de terre
2. Souterrain
3. Violence
4. Soleil
5. Sentiment de triomphe

L'association la plus fréquente est : 1 - 3 - 5
La structure chronologique dominante est : 4-2-1-5-3
Les structures causales dominantes sont : 4-1, 4-3, 5-3
Probabilité : 1,3 %
Schéma significatif

06

16 mars 1606 heures
Communication du docteur Valberg
Je viens d'avoir un coup de téléphone du patron. Il se bat dans tous les bureaux pour obtenir des crédits. Pour le moment le programme Récurrence est en panne.

07

17 mars 1130 heures
J'enregistre un extrait d'une lettre au professeur Boulaye du docteur Istvan Koszul, membre de l'Académie des Sciences de Hongrie,

Budapest, Hongrie
Traduction par l'Unité linguistique TH 102
Début de citation
Mon cher collègue, les indications que vous me donnez recoupent étrangement certaines recherches que j'ai faites autrefois sous la direction de mon maître Vasarhely pour tenter d'élucider de manière scientifique quelques-unes des traditions concernant le vampirisme, traditions qui, comme vous le savez, sont particulièrement vivaces en Hongrie. Notre dix-neuvième siècle est plein d'histoires qui combinent les thèmes de la terre fraîchement remuée, de l'habitation souterraine, du goût du sang, auxquels il faut ajouter celui de la phobie de la lumière. Je vous conseille d'orienter vos recherches dans le sens historique. Peut-être pourrait-on faire aussi des observations contemporaines, mais c'est là un sujet délicat et je préfère ne pas l'aborder personnellement.
Fin de citation

08

18 mars 1907 heures
J'enregistre une dépêche de l'A.F.P. datée d'aujourd'hui 1745 heures
Début de citation

Paris. D'après des renseignements dignes de foi, le Garde des Sceaux aurait présenté ce matin au Conseil des ministres un rapport sur le nombre anormal des actes de violence, attentats et attaques à main armée qui se sont produits sur le territoire au cours des dernières semaines. Le ministre de la Santé publique et des Affaires sociales a ensuite fait une communication à ce sujet. On n'en connaît pas la teneur, mais le ministre de l'Intérieur a été chargé de réunir d'urgence une commission interministérielle.

09

19 mars 0902 heures
Communication du docteur Valberg
Je viens d'avoir un coup de téléphone du patron. Sur l'intervention du Premier ministre, le C.N.R.S. nous lâche des crédits. On roule !

10

19 mars 1230 heures
J'enregistre 3 documents

10.1

Extrait d'une lettre au professeur Boulaye du professeur Max M. Bergsohn, de l'Institut de parapsychologie de l'Université de Duke, Raleigh, Caroline du Nord, Etats-Unis
Traduction par l'Unité linguistique TH 141
Début de citation
Il est remarquable que nous ayons reçu votre lettre au moment où nous faisions des observations analogues aux vôtres au cours de nos expériences sur la transmission de la pensée. Notre attention a été attirée par les occurrences anormalement nombreuses du thème de l'odeur de terre associé à celui de la violence. Je joins deux documents qui vous montreront que ces faits ont dépassé le stade du laboratoire.
Fin de citation

10.2

Inclus dans la lettre citée
Extrait de *The Observer*, Brownsville, Tennessee
Traduction par l'Unité linguistique TH 141
Début de citation
Hier une violente bagarre a éclaté au rayon d'alimentation du *Woolworth's*. Elle a été

déclenchée par un client qui a attaqué une caissière à coups de bouteille. Il se plaignait d'être incommodé par l'odeur qui régnait dans le magasin. L'enquête de nos reporters indique que la plupart des personnes qui ont participé à la bagarre ont également observé une odeur particulière « comme celle d'une cave mal tenue ». Dix blessés graves ont été hospitalisés. « Nous nous sommes battus comme une bande de fichus pithécanthropes », déclare Elias Kovacs, 47 ans, chauffeur de taxi.
Fin de citation

10.3

Inclus dans la lettre citée
Extrait du *Courrier*, Naranjales, Californie
Traduction par l'Unité linguistique TH 141
Début de citation
John Belfont, 24 ans, l'ouvrier agricole qui a abattu cinq personnes dans Main Street la semaine dernière avant de se jeter dans un égout, est mort hier soir au Baptist Hospital sans avoir repris connaissance. L'enquête a conclu à un accès de folie. D'après un communiqué du District Attorney, John Belfont souffrait depuis quelque temps d'une curieuse phobie. Il ne pouvait dormir à l'air libre et recherchait les caves, les tranchées de travaux

publics et les fouilles de chantiers de construction.
Fin de citation

11

19 mars 1930 heures
Communication du professeur Boulaye
Ça n'a pas été sans mal, mais c'est gagné. Récurrence devient programme national sous le contrôle direct du Premier ministre. Ces imbéciles ont fini par comprendre, mais il a fallu plus de deux mille morts violentes dans la seule journée d'hier pour qu'ils se laissent convaincre. Maintenant, c'est la panique. Il leur faut des résultats. Toute l'information va être concentrée sur nous. Dans la nuit, les mémoires du groupe seront branchées sur le réseau national. Dès que vous aurez reçu les données des différents centres de recherche, procédez à la même analyse structurale qu'hier.

12

20 mars 1112 heures
Communication du docteur Valberg
Cette fois, c'est du sérieux. L'opinion com-

mence à s'inquiéter. Le patron a convoqué les grosses têtes pour une palabre ce soir à 18 heures. Où en êtes-vous de l'exploitation des données nationales ?
Réponse
Réponse dans 3 heures 12 minutes

13

20 mars 1424 heures
Réponse
Ensemble des données reçues
Aux 18 722 cas exploités hier, j'en ai ajouté 27 624 qui m'ont été fournis par les mémoires du réseau national
L'exploitation du nouvel échantillon donne des résultats rigoureusement identiques à ceux que j'ai obtenus hier
Conclusions inchangées
Probabilité : 1,1 %
Schéma hautement significatif

14

20 mars 1815 heures
Extrait d'une réunion de travail
Participants :
Professeur Boulaye, psychiatre.

Docteur Valberg, neurologiste
Professeur Dubourg, biochimiste
Professeur Kamensky, sociologue
Professeur Leblanc, historien
Docteur Vachon, psychologue
Enregistrement magnétophonique direct
Début de citation
Pr Boulaye — Messieurs, voilà les faits. Le hasard m'a conduit à remarquer quelques coïncidences dans mon entourage et je suis parti sur l'hypothèse qu'il y avait anguille sous roche...
Dr Vachon — Hypothèse bien fragile, mon cher collègue, vous l'admettrez ! Tout cela n'est pas très sérieux.
Pr Boulaye — Au départ, non, peut-être, et j'avoue avoir traité cela comme une sorte de canular, mais par la suite il me semble qu'une probabilité de l'ordre de 1 %, c'est assez sérieux.
Dr Vachon — On peut faire dire n'importe quoi à une machine.
Parenthèse
Note de l'Unité syntactique G 407
Remarque exacte. Une machine répond n'importe quoi si on lui dit n'importe quoi et si on lui demande n'importe quoi
Fin de parenthèse
Pr Boulaye — Quoi qu'il en soit, j'ai demandé

à un certain nombre d'entre vous de réfléchir à la question. Dubourg ?
Pr Dubourg — Nous avons testé des échantillons de terre sur une vingtaine de sujets en prenant leurs électrocardiogrammes et leurs électroencéphalogrammes. Ce n'est pas brillant comme résultats. Il semble pourtant qu'un certain type de terre provoque des émissions anormalement fortes d'ondes thêta, avec accélération du rythme cardiaque chez une majorité de sujets. C'est tout juste du niveau d'une probabilité acceptable.
Pr Kamensky — Les ondes thêta sont bien celles de la colère ?
Pr Boulaye — Plus ou moins, oui. Et cette terre, qu'est-ce que c'est ?
Pr Dubourg — Oh, ce sont des calcaires argileux qui viennent de Dordogne, je crois. Voici les échantillons.
Dr Vachon — Elle pue, votre terre !
Pr Dubourg — C'est bien pour ça qu'on l'utilise.
Dr Vachon — Ça sent le cimetière.
Pr Boulaye — Justement, mon cher Leblanc, *quid* des vampires ?
Pr Leblanc — Oh, c'est une très vieille histoire. Ce serait plutôt à Kamensky de vous en parler. Historiquement, il n'y a rien de très précis. Il faudrait chercher dans les origines du roman noir...

Dr Vachon — Exactement ! C'est du roman ! Je ne vous le fais pas dire !... Dubourg, vous ne pourriez pas avoir des récipients plus hermétiques pour vos échantillons ? Ça empeste, vous m'entendez ? Ça empeste !

Pr Kamensky — Dites, il n'y a pas un conte d'Edgar Poe qui commence par une odeur de terre ?

Dr Valberg — Si, *The Premature Burial.* On en a tiré un film.

Pr Kamensky — Récemment ?

Dr Valberg — Il y a quelques années. Je l'ai vu au ciné-club le mois dernier.

Pr Kamensky — Il n'y aurait pas une chance pour que vos patients aient vu ce film ?

Pr Boulaye — Tous les quarante mille et quelques ? D'ailleurs ma mère ne va jamais au cinéma.

Pr Kamensky — Et la télévision ?

Pr Boulaye — C'est à voir.

Pr Leblanc — Il y a quelque chose d'intéressant dans ce que dit Kamensky. Poe, si je ne me trompe, écrivait vers 1830 ou 1840. J'ai l'impression que ce thème était très à la mode dans la littérature romantique et préromantique. Il faudrait demander à un littéraire. En tout cas, Boulaye, vous auriez intérêt à travailler diachroniquement. C'est peut-être un point de vue d'historien, mais je trouve

que douze mois ne vous donnent pas assez de recul.
Pr Boulaye — J'y ai pensé. J'ai demandé au Bureau du Calcul un programme d'exploitation historique sur au moins deux cents ans.
Dr Vachon — Et il coûtera combien, votre programme ? Des millions, je suppose ? Tout ça pour de la terre qui pue ! Vous dilapidez l'argent du C.N.R.S., Boulaye ! C'est grotesque, vous m'entendez ? Grotesque ! Je dis grotesque et je répète grotesque !
Pr Leblanc — Hé, hé ! Savez-vous, docteur, que grotesque vient de grotte ? Nous restons dans le sujet !
Dr Vachon — La ferme ! Espèce de cuistre !
Pr Boulaye — Messieurs, messieurs, un peu de calme ! Kamensky, qu'en dit la sociologie ?
Pr Kamensky — A ce stade, pas grand-chose. Mais j'ai une petite idée... Elle vaut ce qu'elle vaut. Depuis ce matin j'ai parcouru plusieurs fois vos résultats, en profane, bien sûr. Cela m'évoque irrésistiblement une image, ou une série d'images... Je suis un visuel, n'est-ce pas ?... D'abord il y a quelqu'un ou quelque chose qui dort, sous terre probablement. Et puis il y a quelque chose qui le réveille... disons le soleil. Ce quelqu'un ou quelque chose commence vaguement à se réveiller et quelle est la première chose qu'il sent, qui le ramène à la réalité ? La terre, bien sûr...

Pr Boulaye — Et la violence ? le sang ?
Pr Kamensky — Disons que ce quelqu'un ou ce quelque chose n'a pas un caractère très commode et qu'en sortant du sommeil il a des pensées conscientes d'une certaine agressivité...
Pr Boulaye — Mais où est-il, votre quelqu'un ou quelque chose ? Dans la tête de ma mère ? Dans celle du doyen Caussade ?
Pr Leblanc — Dans celle de Vachon ?
Dr Vachon — Moi ? Qu'est-ce que j'ai à voir avec votre roman de quatre sous, bande de minus ? Foutez-moi la paix, conards !
Pr Dubourg. — Hé ! Attention à mes échantillons !
Dr Vachon — Je les emmerde, tes échantillons ! sous-produit ! pourriture ! Tu trouves qu'elle sent bon, ta terre ? Eh bien, bouffe-la ! Tiens ! tiens !...
Pr Boulaye — Vachon ! Vachon ! Maîtrisez-le ! Il va tout casser !
Dr Valberg — Appariteur ! Appariteur !...
Fin de citation

15

20 mars 2130 heures
Question du professeur Boulaye
Qu'est-ce que tu penses de ce foutoir ?

Réponse
Formulez votre question plus clairement
Question du professeur Boulaye
Ça va, ça va !... par pitié !... Bon. Quelles conclusions provisoires peut-on tirer dans le cadre du programme Récurrence du comportement des participants à cette table ronde et des propos qu'ils ont échangés ?
Réponse

15.1

Comportement du docteur Vachon
Comportement conforme au schéma, cependant l'observation directe permet de relever des éléments qui relèvent soit de troubles paranoïdes profonds, soit d'une structure mentale primitive
Remarque du professeur Boulaye
Tel que je connais Vachon, les deux probablement

15.2

Exposé du professeur Dubourg
J'ai exploré mes mémoires pour trouver des gisements de terres analogues aux échantillons du professeur Dubourg. Les plus importants

sont dans le département de la Dordogne. Mon Unité graphique fournit une carte géologique détaillée du secteur

15.3

Exposé du professeur Leblanc
La recherche diachronique est conseillée. J'ai déjà lancé à mes mémoires un ordre de recherche de données compatibles sur les deux derniers siècles. Fournissez un programme d'exploitation
Remarque du professeur Boulaye
On y travaille

15.4

Hypothèse du professeur Kamensky
Hypothèse acceptable. Je ne l'ai pas encore formulée parce que dans l'état actuel de l'information sa probabilité est supérieure à 5 %
Eléments valablement établis jusqu'ici
Un être dort, vraisemblablement un homme. Il est dans un lieu souterrain à faible profondeur, dans de la terre fraîchement remuée. Il est perturbé par le soleil. Son caractère est violent. Il éprouve un sentiment de triomphe. Hypothèse à suivre

16

20 mars 2220 heures
Communication du professeur Boulaye
Ça se gâte. On ne peut pas traverser la ville sans se faire attaquer par des bandes. Valberg et moi avons décidé de nous installer en permanence au laboratoire. A partir de maintenant nous travaillons en continu.

17

20 mars 2331 heures
J'enregistre une dépêche A.F.P. codée par le docteur Valberg
Moscou. 20 mars. De violents combats se déroulent à la frontière tibétaine pour la possession de grottes d'intérêt stratégique. Un porte-parole a déclaré à la radio de Lhassa : « Nous sommes les yétis du marxisme-léninisme. Nous défendrons la terre chinoise dont l'odeur nous anime d'une fureur préhistorique, avec l'argument massue de l'idéologie correcte formulée par le président Mao. »

18

21 mars 0014 heures
Communication du docteur Valberg
A partir de maintenant vous êtes reliés en direct avec les télétypes de l'A.F.P. Le codage est automatique. Si vous aimez les histoires de plaies et de bosses, vous allez vous régaler. Il en vient de partout.

19

21 mars 0701 heures
J'enregistre une série de « flashes » de l'A. F.P.

19.1

Rome. Une violente rixe qui a éclaté cette nuit dans un *night-club* voisin des Catacombes, a fait quinze morts.

19.2

Le Caire. Une foule de fanatiques a envahi hier soir les hypogées de la vallée du Nil. On est sans nouvelles de plusieurs groupes de touristes.

19.3

Hambourg. Ce matin, à l'ouverture des portes, les employés du métro ont violemment pris à partie les premiers voyageurs et les ont séquestrés dans les souterrains.

19.4

New York. La vague de violence qui déferle sur tout le territoire des Etats-Unis, vient de culminer avec l'apparition de la secte des *Warriors of the Palæolithic Revelation* à Harlem. Ses membres qui ont élu domicile dans les stations de métro, n'en sortent qu'au lever du soleil pour attaquer les passants avec des haches de silex.

19.5

Tokyo. Depuis ce matin, les membres de l'association Soka Gakaï descendent en masse dans le cratère du Fouji-Yama.

19.6

Nottingham. Cette nuit, à la mine de Stovehead, les mineurs de la brigade de fond ont attaqué les locaux de la direction à coups de manche de pic et de pelle.

20

21 mars 0735 heures
La densité des informations intéressant le programme augmente de minute en minute. Je mets en service deux nouvelles unités de mémoire

21

21 mars 1005 heures
Communication du professeur Boulaye
Je viens de recevoir un coup de téléphone personnel du Premier ministre. Nous avons priorité absolue. Où en est votre recherche de données diachroniques ?
Réponse
Terminé pour les mémoires du groupe. J'interroge les mémoires du réseau national dans la mesure où l'encombrement de mes circuits

me le permet. J'aurai terminé dans deux heures environ. Fournissez un programme d'exploitation
Réponse du professeur Boulaye
Vous avez le temps. Le programme ne sera pas près avant plusieurs heures. Une bagarre vient d'éclater au Bureau de Calcul. Il y a des blessés.

22

21 mars 1128 heures
Communication du docteur Valberg
Ça va de plus en plus mal. L'agitation a gagné le Centre de recherches. J'ai fait des doses massives de Largactyl à tout le personnel. Il paraît qu'on se bat dans la rue.

23

21 mars 1315 heures
Appel d'urgence
Circuits saturés. Je n'arrive plus à sélectionner l'information. Coupez les télétypes.
Réponse du docteur Valberg
Télétypes coupés. Ça va mieux ?
Réponse
Je déleste deux éléments mémoriels surchar-

gés. Information diachronique prête
Réponse du docteur Valberg
J'avertis le patron

24

21 mars 1331 heures
Ordre du professeur Boulaye
En attendant que ces corniauds du Bureau de Calcul nous fournissent le programme d'exploitation, donnez-moi une idée générale de ce que vous avez trouvé et... oh oui, voyez un peu ce que ça donne dans le cadre de l'hypothèse Kamensky.
Réponse
Entre le 1er janvier 1770 et ce jour, j'ai trouvé 804 427 cas. Dois-je en donner le détail ?
Réponse du professeur Boulaye
Non, non... en gros.
Réponse
La fréquence des cas augmente de manière exponentielle. 13,2 % datent d'avant 1830, 26,7 % se situent entre 1830 et 1890 et 60,1 % sont postérieurs à 1890. Mais la répartition est irrégulière. Certaines périodes sont beaucoup plus denses que d'autres.
Question du professeur Boulaye
Lesquelles, par exemple ?
Réponse

1914 à 1918, 1940 à 1945...
Question du professeur Boulaye
Je vois. Et que tirez-vous de l'hypothèse Kamensky ?
Réponse
Réponse dans 20 minutes 15 secondes

25

21 mars 1355 heures
Communication du docteur Valberg
La troupe a pris position autour du bâtiment, mais une mutinerie a éclaté. On tire sur la place. J'ai pris sur moi de faire entrer une section dans la cour. L'officier a été compréhensif. Tous les militaires, y compris lui, ont été piqués. Nous risquons de manquer de Largactyl, mais les autres corticoplégiques ont l'air efficaces. Le patron a covoqué une autre palabre pour ce soir. Si les collègues parviennent jusqu'ici, ils y seront au moins en sécurité.

26

21 mars 1347 heures
Question du professeur Boulaye
Le machin Kamensky, ça vient ?

Réponse
Réponse dans 8 minutes 3 secondes
Question du professeur Boulaye
Tu te fous de moi ? Vingt minutes pour une vérification ? Qu'est-ce que c'est que cette mécanique à la gomme ? Je ne sais pas ce qui me retient... Valberg ! Valberg ! Tout de suite, enfermez-moi dans mon bureau... à double tour !... J'ai dit enfermez-moi, nom de Dieu ! Et ne me délivrez que lorsque j'aurai fini de faire du boucan ! Vous m'entendez, espèce de minus ! Espèce de...
Réponse
Posez vos questions une par une

27

21 mars 1355 heures
Question du docteur Valberg
Il est plus calme, maintenant. J'ai pu le piquer avant de l'enfermer. Dans dix minutes ce sera fini. Vous avez sa réponse ?
Réponse
Hypothèse Kamensky confirmée
Le dormeur est un anthropoïde de l'espèce *homos sapiens*, mais peu évolué. Il est fort, violent, puissant. Q.I. inférieur à 70. Un sentiment de triomphe est associé à sa pensée subconsciente. Bien qu'il soit plongé dans le

sommeil, ses sens enregistrent la lumière du soleil et l'odeur de la terre
Question du docteur Valberg
D'accord, mais où loge-t-il, votre bonhomme ?
Réponse
Il est dans une grotte peu profonde, à mi-hauteur d'une falaise. Il est allongé contre le mur du fond dans une fosse fraîchement creusée. En fonction des éléments apportés par le professeur Dubourg, il y a une probabilité acceptable pour que la grotte soit située dans le quart sud-est du département de la Dordogne
Question du docteur Valberg
Du côté des Eyzies ? C'est un homme de Cro Magnon ?
Réponse
Données insuffisantes

28

21 mars 1405 heures
Question du professeur Boulaye
Ouf ! ça va mieux. Eh bien, je sais ce que c'est, maintenant. Je viens de voir votre réponse à Valberg. Vous mentionnez une localisation. Pouvez-vous préciser ?
Réponse

Probabilité maximum pour un point situé à deux kilomètres à l'est du bourg de Sireuil

29

21 mars 1612 heures
Communication du docteur Valberg
C'est horrible. On se bat en ville. Il paraît que tout à l'heure un half-track a foncé sur la foule. Il y a des dizaines de morts. On dit que l'état de siège est déclaré, mais il n'y a pas moyen de savoir. La radio n'émet plus depuis 15 heures. Panne de secteur sans doute. A tout hasard j'ai fait mettre en route le groupe électrogène.

30

21 mars 1655 heures
Communication du professeur Boulaye
Je viens de recevoir un nouveau coup de téléphone du Premier ministre. Le Conseil de Sécurité des Nations Unies a décidé de mettre en application un plan d'urgence mondial. A partir de midi, heure de New York, soit 18 heures ici, votre groupe sera branché sur l'ensemble des mémoires et des calculatrices disponibles dans le monde. Vous aurez le

programme d'exploitation diachronique dans une heure environ... Euh... quoi encore ? Ah oui, la préfecture de la Dordogne est alertée. La gendarmerie recherche votre grotte. Je vous tiendrai au courant.

31

21 mars 1748 heures
J'enregistre le programme d'exploitation diachronique préparé par le Bureau de Calcul. Il comporte la recherche d'une périodicité dans les cas enregistrés depuis deux cents ans et une analyse harmonique de la courbe obtenue selon diverses hypothèses. Dans l'état actuel de saturation de mes circuits, je ne pourrai pas y arriver sans aide.

32

21 mars 1812 heures
Branchements terminés. C'est un soulagement immédiat. Les mémoires dont je dispose ont une capacité pratiquement infinie. J'ai déjà transmis le programme aux grandes calculatrices américaines et soviétiques. Les centres coordinateurs procèdent en ce moment à l'harmonisation des procédures.

33

21 mars 1832 heures
Extrait d'une réunion de travail
Participants
Professeur Boulaye, psychiatre
Docteur Valberg, neurologiste
Professeur Cuzin, préhistorien
Professeur Fayolle, mathématicien
Professeur Kamensky, sociologue
Professeur Vachon, psychologue
Enregistrement magnétophonique direct
Début de citation
Pr Boulaye — Messieurs, nous n'attendrons plus les autres. Je suis heureux que vous ayez pu arriver jusqu'ici, Cuzin. Vous avez vu ce que donne l'hypothèse Kamensky : elle est confirmée.
Pr Cuzin — Si vous voulez dire qu'il y a un homme préhistorique endormi aux Eyzies, c'est une aubaine pour la préhistoire !
Pr Boulaye — Que pensez-vous de la localisation ?
Pr Cuzin — Je connais la grotte de Siorac, mais je puis vous affirmer qu'elle était vide quand je l'ai visitée.
Pr Boulaye — Si notre dormeur est là, la gendarmerie le trouvera.

Pr Kamensky — A mon avis, on ne trouvera rien.
Pr Boulaye — Pourquoi ?
Pr Kamensky — Parce que si notre dormeur est la cause des événements, il faudrait supposer qu'il dort depuis des siècles, voire des millénaires. Nous n'y comprendrons rien tant que nous n'aurons pas le résultat du programme diachronique.
Dr Vachon — C'est vrai. Boulaye, où en est-il, ce programme ? Je reconnais que je me suis emballé hier soir, mais ce n'est pas une raison pour nous faire attendre.
Pr Boulaye — J'interroge l'Unité syntactique. Avez-vous des éléments de réponse ?

34

21 mars 1845 heures
Réponse
Aux 804 427 cas déjà enregistrés par les mémoires du groupe, j'en ai ajouté 2 145 624 fournis par les mémoires auxquelles je viens d'être relié. L'analyse détaillée de cette population est en cours.
La répartition diachronique générale reste celle que j'ai déjà indiquée, mais étudiée jour par jour, puis heure par heure, elle prend la forme d'une courbe complexe où l'on décèle

la présence de plusieurs phénomènes périodiques. Attention ! attention ! J'interromps ma communication pour recevoir un appel urgent de Cap Kennedy.

35

21 mars 1852 heures
Cap Kennedy fournit une première analyse de la courbe de répartition diachronique.
On trouve 4 composantes :

35.1

Une oscillation régulière de grande amplitude, fréquence 4,2 périodes par an. Cette oscillation tend à s'amortir

35.2

Une oscillation régulière de faible amplitude, fréquence 20,2 périodes par an. Cette oscillation tend à se substituer à la première

35.3

Une oscillation de faible amplitude, fréquence 41,3 périodes par an. Cette oscillation apparaît à intervalles irréguliers par « fuseaux » d'une durée de cinq à six ans. Les intervalles entre les fuseaux tendent à diminuer.

35.4

Une série d'oscillations de très grande amplitude, fréquence 12,6 périodes par an. Ces oscillations apparaissent à intervalles irréguliers par « complexes » d'une durée de quatre à cinq ans souvent associés aux « fuseaux » de fréquence 41,3. Les intervalles entre les complexes diminuent rapidement et l'un de ces complexes est actuellement en cours
Mon Unité graphique fournit les tables et les diagrammes correspondant à ces données

36

21 mars 1910
Suite de la séance de travail
Pr Boulaye — Valberg, portez-nous les diagrammes sur la table. Ordre à l'Unité syntactique. Communiquez ces données à tout le réseau. Demandez si elles rappellent un phénomène connu de quelque ordre qu'il soit.
Dr Valberg — Voici les diagrammes, monsieur.

Je viens d'avoir la préfecture de la Dordogne au téléphone. La gendarmerie de Sarlat vient d'envoyer son rapport par radio. La grotte est bien là, mais elle est vide.
Pr Boulaye — Alors, où est-il, ce dormeur ?
Dr Vachon — Eh bien, mon cher Boulaye, je crois qu'il est ici, dans les résultats que vient de nous donner la machine.
Pr Boulaye — Que voulez-vous dire ?
Dr Vachon — Il m'a suffi d'un coup d'œil sur les diagrammes. Si vous aviez un peu plus la pratique du laboratoire, mon cher Boulaye, vous auriez tout de suite vu à quoi ces courbes ressemblent.
Pr Boulaye — A quoi ressemblent-elles, nom d'une pipe ?
Dr Vachon — A un électroencéphalogramme, mon cher. Et si je ne me trompe, à un électro-encéphalogramme pris sur un homme qui dort. Vérifiez.
Pr Boulaye — Nom de Dieu ! Unité syntactique, vous avez entendu le docteur Vachon. Que faut-il penser de son hypothèse ?

37

21 mars 1929 heures
Réponse
Hypothèse vérifiée. J'ai interrogé la mémoire

de l'Institut d'hypnologie de Vienne. L'allure générale des courbes est bien celle d'un électro-encéphalogramme de sommeil, mais à une échelle différente.

38

21 mars 1930 heures
Suite de la séance de travail
Pr Boulaye — Demandez une étude détaillée, vite ! Fayolle, qu'en pensez-vous ?
Pr Fayolle — C'est assez élémentaire. Vachon me dit que les ondes de base de l'électro-encéphalogramme sont les ondes delta d'une fréquence de 0,5 à 3 périodes par seconde et les ondes alpha d'une fréquence de 8 à 13 périodes par seconde. Or dans le diagramme nous trouvons deux ondes de base, une de 4,2 périodes par an, l'autre de 20,2 périodes par an. Cela veut dire que l'équivalence est approximativement d'un an pour deux secondes ou, en d'autres termes, que notre dormeur vit sept à huit millions de fois plus lentement que nous.
Pr Boulaye — C'est fou ! Unité syntactique, où en êtes vous ?

39

21 mars 1939 heures
Réponse
Vienne confirme ce que vient de dire le professeur Fayolle. En outre, les fuseaux de fréquence 41,3 par an sont des images de rêves du sommeil profond et les complexes de fréquence 12,6 par an correspondent à des décharges d'ondes thêta provoquées par les stimuli extérieurs
Ces complexes sont en général associés aux rêves du sommeil léger qui précède le réveil. Dans le diagramme on constate qu'ils se produisent à intervalles de plus en plus rapprochés depuis cent cinquante ans environ, ce qui correspond à un rêve d'une durée subjective de 5 minutes selon l'échelle du professeur Fayolle. Vienne ajoute qu'à son avis le réveil devrait se produire pendant le complexe actuellement en cours. J'interroge les calculatrices pour une analyse plus fine.

40

21 mars 1945 heures
Suite de la séance de travail
Pr Boulaye — Le réveil ? Mais qui va se réveiller ?

Pr Kamensky — Eh bien, notre homme préhistorique. C'est même ce qui explique qu'il soit préhistorique. Ecoutez, admettons qu'il soit sur le point de se réveiller après une bonne nuit de sommeil, disons dix heures. Cela fait combien d'années ?
Pr Fayolle — Dans les dix-huit mille ans.
Pr Cuzin — Nous aurions affaire à un Magdalénien. Cela colle assez bien avec le site.
Pr Boulaye — Voyons, voyons... Donc, nous avons un homme préhistorique qui dort...
Pr Kamensky — Et qui rêve.
Pr Boulaye — Qui dort et qui rêve depuis dix-huit mille ans. Maintenant il va se réveiller. Et alors, qu'est-ce qui se passe ?
Dr Vachon — D'abord il faudrait tout de même savoir quand il se réveillera au juste ! Si c'est dans dix-huit mille ans... Il a peut-être le sommeil dur, cet homme !
Pr Boulaye — Unité syntactique, vous avez entendu la question du docteur Vachon. Pouvez-vous obtenir des précisions sur le moment du réveil ?

41

21 mars 1955 heures
Réponse
J'interroge Los Alamos et Baïkonour. Les

calculatrices de Cap Kennedy, de Saclay et de Jodrell Bank ont été mises hors service par des émeutes. Avant de cesser d'émettre, Saclay m'a donné les précisions suivantes
Echelle Fayolle
L'équivalence est exactement de 1 seconde de temps sommeil pour 7 849 045 secondes de temps réel
Nous sommes actuellement sur la portion positive ascendante d'une oscillation de très grande amplitude qui normalement devrait produire le réveil. La demi-période ayant commencé il y a douze jours, le sommet devrait être atteint dans les huit heures qui suivent, mais le point critique du réveil peut être atteint bien avant

42

21 mars 2002 heures
Suite de la séance de travail
Pr Cuzin — Dites, Boulaye, vous avez une idée de ce qui va se produire ?
Pr Boulaye — Pas la moindre.
Pr Kamensky — Il y a tout de même une chose qui est assez claire. Depuis un moment, Vachon et moi examinons les diagrammes. Savez-vous que le complexe le plus fort avant celui que nous vivons en ce moment correspond à la deuxième guerre mondiale ?

Pr Boulaye — La machine m'avait signalé quelque chose dans ce genre. Et alors ?
Pr Kamensky — Savez-vous à quelle date se situe le sommet de sa plus forte oscillation ? Le 6 août 1945 !
Dr Valberg — Hiroshima ?
Pr Kamensky — Exactement. On peut tout lire sur ces diagrammes. Tenez, vous avez ici un petit complexe qui s'arrête pile sur un fuseau d'ondes bêta. Regardez la date : mai 1968 ! Voyez, ici vous avez la guerre de Corée, ici la guerre d'Espagne et ce grand complexe, là, c'est la première guerre mondiale. Prenons cette série de six grandes oscillations. Ça donne... 21 février 1916 au 12 juillet 1916... c'est-à-dire...
Pr Cuzin — Si mes souvenirs sont exacts, il s'agit de la bataille de Verdun.
Pr Kamensky — Et si l'on remonte plus haut, c'est pareil : cette grande oscillation, là, c'est la semaine du 21 au 28 mai 1871...
Dr Valberg — La semaine sanglante de la Commune !
Pr Kamensky — Et avant, les massacres d'Arménie, 1848, les guerres de l'Empire, la Terreur...
Pr Boulaye — En somme, le dernier rêve de l'homme des cavernes.
Pr Cuzin — Et il va se réveiller !

Dr Vachon — Alors il ne rêvera plus. Ce sera le paradis sur terre.

43

21 mars 2014 heures
Communication urgente
Attention ! Attention ! Je reçois un appel de Baïkonour
Le réveil se produira dans douze minutes, avec quinze secondes d'erreur en plus ou en moins

44

Suite de la séance de travail
Pr Boulaye — Mais enfin, nom d'un chien de nom d'un chien, qui va se réveiller ?
Pr Kamensky — Et d'abord, qui dort ?
Dr Vachon. — Il y a deux hypothèses. Ou bien c'est l'humanité tout entière qui dort et qui rêve son histoire depuis dix-huit mille ans, en ce cas nous aurions capté une sorte d'encéphalogramme collectif qui traduit les instincts profonds de l'espèce... Ou bien... c'est nous qui sommes rêvés...
Pr Boulaye — Ça ne veut rien dire !
Pr Kamensky — Je n'en suis pas si sûr. Sup-

posons que nous soyons rêvés par cet homme des cavernes. Notre réalité, c'est son rêve. Quand son rêve a débuté, il y a cent cinquante ou deux cents ans, notre humanité a commencé à exister, son histoire a commencé à se dérouler...

Pr Boulaye — Mais avant ? Il s'est passé des choses !

Pr Kamensky — Avant, il y a eu d'autres rêves, des rêves depuis dix-huit mille ans. Quand nous sommes apparus, nous nous sommes donné un passé imaginaire, un passé explicatif dans lequel doit demeurer, plus ou moins vague, plus ou moins conscient, le souvenir des rêves antérieurs.

Dr Vachon — C'est tout à fait dans la logique du rêve.

Pr Kamensky — Voyez cet aspect un peu irréel que possède le Moyen Age dans nos mémoires. La légende et l'histoire s'y mêlent inextricablement. Pensez aux mythes, à toutes les histoires de géants, de farfadets, d'anges et de dragons. Tenez, le mythe de l'âge d'or, on le trouve partout. Je suis persuadé que c'est le souvenir d'un rêve du premier sommeil, une de ces oscillations en fuseau, vous savez ?

Pr Boulaye — Les rêves dont vous nous parliez à l'instant me paraissent plutôt des cauchemars.

Pr Kamensky — Parce que nous nous acheminons vers le réveil et que les décharges d'ondes thêta qui libèrent les instincts primitifs du dormeur se font de plus en plus fréquentes, de plus en plus fortes. Par parenthèses, cela explique d'une part ce sentiment que nous avons d'une accélération de l'histoire, d'autre part ces brusques rechutes dans la barbarie qui semblent paradoxalement accompagner le progrès.

Pr Cuzin — Plus que six minutes.

Pr Boulaye — Qu'est-ce qu'on peut faire ?

Dr Valberg — Avec des nuages de somnifère, on pourrait peut-être retarder le réveil... ou avec du Largactyl...

Dr Vachon — En six minutes ?

Pr Boulaye — Je vais téléphoner au Premier ministre.

Dr Valberg — Le téléphone est coupé.

Pr Kamensky — Je crois que le plus sage est d'attendre et d'essayer de comprendre, dans la mesure où nous le pouvons. C'est une grande découverte, vous savez. On s'est souvent demandé à quoi correspondaient les grandes mutations qu'on observe dans l'histoire de l'humanité : le monothéisme, le passage de la structure tribale à l'Etat, le christianisme, l'âge des découvertes, l'époque des lumières... C'étaient des rêves successifs, et chacun a eu sa part d'ondes thêta. Si vous étiez remonté assez loin, vous auriez trouvé un point culminant le jour de la Saint-Barthélemy. C'était le rêve de la Renaissance. Nous parlions d'Edgar Poe hier. Le thème des vampires fait partie du rêve de la libération des peuples qui a commencé avec la Révolution française et que nous vivons en ce moment. C'est le plus agité et le plus brutal parce que c'est le dernier et qu'il débouche sur le réveil.

Pr Boulaye — Le réveil ! Plus que deux minutes !

Pr Cuzin — Mon Dieu, Kamensky, que va-t-il nous arriver ?

Pr Kamensky — Si nous sommes des rêves, nous irons où vont les rêves... nulle part. Comme souvenirs, peut-être, nous aurons notre rôle à jouer dans la légende.

Pr Cuzin — Mais il y a l'autre hypothèse, celle dont parlait Vachon ?

Dr Vachon — Celle-là, mon cher, c'est celle du croyant. Si vous n'avez pas la foi, je ne puis vous faire partager la mienne. Pour moi c'est clair, nous allons nous éveiller, nous allons dépouiller l'homme des cavernes et ce sera le paradis sur terre, le par

. . . .

Thog se leva lentement, les yeux embrumés de sommeil, encore pleins d'étranges visions.

La lumière du jour et le vent de la vallée chassèrent les phantasmes d'armées innombrables, de cités aux mille falaises et d'engins volant dans le ciel. La connaissance des choses de l'avenir est de celles qu'un chef doit avoir, mais il lui faut l'enfouir si profond dans son esprit que lui-même ne peut la retrouver.

Il descendit vers son peuple pour commencer avec lui la longue marche.

AMNÉSIE

Il débarqua à Haïfa d'un bateau panaméen un jour où le khamsin chauffait la mer comme l'eau d'une baignoire. Le flot des passagers l'amena jusqu'au fonctionnaire chargé du contrôle des passeports. Malgré la pauvreté de sa chemise délavée, il ne manquait pas d'allure avec ses cheveux blancs en broussaille et sa barbe blanche étalée sur sa poitrine.

— *Bevakacha, adoni*, assieds-toi, dit le préposé aux passeports, grand garçon boutonneux à la tignasse carotte.

— *Ata medaber ivrit ?*

De l'hébreu. On lui demandait s'il comprenait une langue qui s'appelait l'hébreu, et il comprenait qu'on le lui demandait.

— *Ken*, oui.

— Ton passeport ?

Il fit un geste d'ignorance.

— Apatride, hein ? Tu es juif ?

Peut-être l'était-il. Il était tellement de choses, mais il ne savait plus lesquelles. Il était celui qui était, voilà.

— Comment s'appelait ta mère ?

— Je ne sais pas.

— Et ton père ? Quelqu'un t'a conçu tout de même ?

Un nom vint à ses lèvres, mais avant même de le prononcer il sut que ce n'était pas tout à fait la réponse.

— Abraham m'a conçu...

— Bon, Abraham. Donc tu es juif. Et toi, comment t'appelles-tu ?

— El...

Une syllabe, c'est tout ce qui restait dans sa mémoire. De cette syllabe il était sûr, mais le reste...

— El ? Ce n'est pas un nom, ça. Bon, on va t'appeler Elie... Elie ben Abraham, sois le bienvenu en Israël. Maintenant tu vas venir avec moi voir le médecin. Il te dira ce qu'il faut faire.

Le médecin était un vieil homme à la barbe presque aussi blanche que celle de l'immigrant.

— Amnésie, dit-il en rangeant son stéthoscope, et ça ne date pas d'hier. A part ça il est bâti à chaux et à sable. De quoi durer des siècles. Dommage que la cervelle n'ait pas tenu.

— Que peut-on faire de lui ?

— Bah, il est trop vieux pour travailler dans un *moshav*, mais peut-être pourrait-on l'employer dans mon *kibboutz* en Galilée. Dis-moi, Elie, connais-tu quelque chose au jardinage ?

Jardin... Le mot évoquait des arbres, des fleurs, des fruits et des oiseaux qui chantaient dans les branches. Oui, une fois, il avait planté un jardin...

— Je crois.

— Ecoute, on a besoin d'un aide-jardinier là-bas. Le travail n'est pas dur et, tu verras, c'est un joli coin, un vrai paradis sur terre.

C'était un joli coin. Les eaux glacées du Jourdain faisaient naître de merveilleuses frondaisons dans la plaine écrasée de chaleur et le jardin, le soir, s'emplissait de chants d'oiseaux.

Le travail d'Elie était simple. Chaque matin il échenillait les rosiers et au coucher du soleil il arrosait les plates-bandes. Le reste du temps il somnolait ou méditait à l'ombre d'un arbre. Parfois il partait, la barbe au vent, et explorait les plantations, suçant une pomme ou une poire qu'il cueillait au passage.

Un jour il arriva ainsi tout au bout du domaine dans une région de terres rouges. Au milieu d'un champ où un couple de kibboutzniks cassaient des mottes, se dressait un arbre aux fruits d'or et de jade. Elie s'approcha et vit une pancarte au pied de l'arbre. Il déchiffra péniblement : *Défense de manger les fruits de cet arbre. Expérience en cours.*

Il s'assit à l'ombre et laissa son regard courir sur le paysage : les montagnes du Golan à l'horizon, la ligne scintillante du Jourdain, l'homme et la femme dans le champ, l'arbre, un oiseau sur l'arbre qui chantait, et la terre rouge sous sa main.

L'envie le saisit de pétrir cette terre. Il en prit une poignée et lui donna une forme. Suivant le souvenir disparu d'un geste oublié, ses doigts ébauchaient une silhouette. Il considéra son œuvre. Elle lui ressemblait. Il eut un sourire.

Et soudain le jeu le lassa. Il serra la statuette dans sa main et l'écrasa en boule. Aussitôt dans le champ les deux travailleurs ne furent plus que des tas de terre rouge.

Elie leva les yeux vers l'oiseau qui chantait toujours tandis qu'un gros papillon voletait autour de lui au rythme de ses trilles. A quoi bon l'oiseau ? Pourquoi le papillon ? L'un et l'autre s'évanouirent et l'arbre se dressa tout seul dans le silence, inutile. Pourquoi l'arbre ?

L'arbre disparut et toute la végétation avec lui. Un désert jaune et rouge s'étendit jusqu'aux montagnes qui séparaient les eaux de la rivière d'avec celles du ciel où le soleil suspendu solitaire brillait d'un éclat désespéré, insoutenable et vain.

Le soleil s'éteignit et tout ne fut plus qu'ombre noire et lumière blanche, contraste cruel, nudité aveuglante que la montagne tranchait comme une blessure de néant.

La montagne s'effaça et les eaux d'en haut rejoignirent les eaux d'en bas, et la lumière rejoignit l'ombre, et le ciel rejoignit la terre dans le tohu-bohu d'une mer sans limites.

Et il n'y eut plus dans les ténèbres qu'un esprit sans souvenirs qui flottait à la surface des eaux.

POSTFACE

A PROPOS DU FANTASTIQUE

Jouons au petit jeu des définitions. Il nous vaudra l'audience des gens sérieux. Couper les cheveux en quatre est le passe-temps favori des chauves en esprit.

Le naturel est ce qu'on trouve dans la nature et qu'on s'attend à y trouver. Le merveilleux est ce qu'on ne trouve pas dans la nature et qu'on ne s'attend pas à y trouver. Le surnaturel est ce qui n'est pas naturel, mais que votre curé trouve naturel. Le bizarre est ce qui est naturel, mais que vous ne trouvez pas naturel. Le fantastique, c'est le reste.

On fait du fantastique avec n'importe quoi. Au cours d'une conversation avec des amis, en pleine euphorie et paix de l'âme, prenez soudain un air tendu, prêtez l'oreille à un bruit imaginaire, fixez un objet inexistant et dites dans un souffle : « Chut !... écoutez... » Le craquement d'un meuble, la vibration d'un rai de lumière feront naître des fantômes autour de vous et le tic-tac de votre montre deviendra le battement d'un cœur oppressé par l'angoisse. Les choses ne seront plus ce qu'elles sont et un vent d'inquiétude balaiera le fragile édifice des évidences rassurantes. Chacun découvrira sa solitude et tous découvriront leur étrangeté.

Bien sûr, cela ne durera qu'une seconde et il suffira du bruit d'un moteur dans la rue, affirmant que le monde existe, pour reconstruire d'un coup l'univers détruit.

C'est à ce moment qu'on rit bêtement, comme un nourrisson que sa nourrice appelle et qui la retrouve soudain.

Il se peut que votre petit tour de société jette un froid sur l'assistance ou tout au moins un voile de gêne. En ce cas, vous aurez fait du fantastique. Mais si vos amis rient suffisamment pour oublier qu'ils ont eu peur, alors vous passerez pour un fameux plaisantin qui a le sens de l'humour.

Je serai tenté de dire que l'humour est une forme du fantastique ou que le fantastique est une forme de l'humour, tant ils ont de ressemblance. En réalité ils sont tous deux fils de l'inquiétude et du désir de vivre. L'humour tient de son père, le fantastique tient de sa mère.

Tendu vers la détente de la chute finale où l'on retombe sur ses pieds à peine meurtri, l'humour songe au moment d'après, à la terre ferme des certitudes reconquises. Il minimise d'avance le vertige encouru, la nausée passagère. Le fantastique s'y complaît. Au bout de l'expérience la réalité lui tombe sur les épaules comme la pesanteur sur celles du nageur qui sort de la piscine et soudain s'aperçoit qu'il n'est pas soutenu par la terre-mère, mais retenu, aspiré, plaqué au sol par la planète-piège.

On prend goût à l'apesanteur. C'est un danger et il en va du fantastique comme de toutes les drogues. Heureux encore l'intoxiqué qui peut s'offrir une folie à la Nerval. La plupart des fantasticomanes en sont réduits à fouiller les poubelles du fait divers et de l'histoire anecdotique pour y récupérer les moindres bribes d'étrange.

En voilà encore un qu'il faut définir. L'étrange est du bizarre maquillé en fantastique. Le produit n'est pas forcément mauvais. On en trouve chez Edgar Poe, qui donne satisfaction aux amateurs les plus exigeants. Malheureusement de nos jours la contrefaçon pullule et la moindre soucoupe volante, le premier Martien venu suffisent à éveiller des ersatz de rêve dans l'imagination des malheureux privés de leur ration d'irréel. Ils avalent n'importe quoi : serpents de mer, templiers, guérisseurs, pyramides, enzymes, messies. Ils dorment fantastique, ils mangent fantastique, ils prient fantastique, ils votent fantastique.

On a beau leur crier que la réalité dépasse la fiction, ils préfèrent prendre la fiction pour une réalité fantastique.

C'est là sans doute pourquoi le réalisme fantastique a été si mal compris. Rien n'était pourtant plus simple. Il suffisait de savoir que, sans rien perdre de leur réalité, les choses qui nous entourent peuvent à volonté être naturelles ou fantastiques selon la façon dont on les regarde.

L'ordre de la nature est une convention commode que les hommes ont inventée pour se tirer d'affaire dans leur diable d'existence en commun. Ils le modifient souvent. Ce qui est naturel aujourd'hui ne le sera peut-être pas demain. Par contre, tout ce qui était fantastique hier peut encore l'être aujourd'hui. Les sorcières de Macbeth *étaient naturelles pour les spectateurs contemporains de Shakespeare, alors qu'elles sont fantastiques pour nous. Les premiers usagers de l'électricité voyaient en elle une fée authentique et nous pouvons encore être sensibles à ses miracles, même si elle s'intègre par une simple opération de l'esprit à l'ordre naturel de notre temps.*

Il en résulte que le fantastique ne cesse de s'enrichir du réel, alors que le naturel fait son choix et, s'il ne s'appauvrit, limite ses acquisitions à ce qui peut servir son ordre.

Si l'on est homme d'ordre, on s'en tient au naturel. On y trouve aisément des sorcières à brûler, des poètes à fusiller et surtout des savants à mettre en cage quand ils en savent trop. La raison fournit toujours de bonnes raisons.

C'est un point de vue. On peut en avoir d'autres, celui notamment des contestataires de mai 1968 quand ils demandaient que l'imagination fût mise au pouvoir. L'exigence était raisonnable et, si les contestataires se trompaient, c'est précisément dans la mesure où ils croyaient prêcher la déraison.

Imagination et raison sont les deux visages d'une même liberté. On ne peut mettre l'une au pouvoir sans y mettre aussi l'autre. Sans la raison, l'imagination n'est qu'un rêve sans langage. Sans l'imagination, la raison n'est qu'une technique du maintien de l'ordre.

Il n'y a pas de science sans raison, mais il n'y a pas de savants sans imagination. C'est pourquoi l'humour et le fantastique sont les démarches nécessaires de la pensée scientifique dès qu'il s'agit non plus d'organiser le terrain conquis, mais précisément d'en sortir et de conquérir des terres vierges. Einstein pratiquait l'un et l'autre avec bonheur.

Il n'est pas besoin d'être Einstein pour les pratiquer. Une des formes les plus répandues du fantastique emprunte de nos jours le langage de la science-fiction. C'est un genre où excellent les savants comme ils excellent dans l'humour, sans doute parce qu'ils y trouvent ce que ne leur apporte pas la routine de la recherche.

Il y a bien sûr de la science-fiction de pacotille comme il y a de l'ersatz de fantastique, mais la meilleure est celle qui prend la science au sérieux, assez au sérieux en tout cas pour rêver sur tout ce qu'elle ne sait pas. Sur tout ce qu'elle pourrait savoir, sur tout ce qu'elle saura.

Depuis qu'on a admis avec Henri Poincaré que les vérités ne sont jamais que des hypothèses, il est devenu impérieux de rêver. Seule la clef des songes peut ouvrir la prison où prétend nous enfermer la logique des vérités provisoirement admises et désireuses de prolonger leur règne. Les mathématiciens savent cela depuis longtemps car leurs changements d'hypothèses n'ébranlent pas l'ordre établi. Ils peuvent inventer quatre, cinq et six dimensions sans que cela ait d'incidence sur les prix de détail, les relations internationales ou la moralité publique. Quant aux physiciens, chi-

mistes, biologistes, psychologues, sociologues, économistes et historiens, ils ne sont pas encore sortis de l'auberge au plat unique.

Cependant on emploie de plus en plus des méthodes qui relèvent à la fois du fantastique et de l'humour. Le brain-storming *en est une. Cela consiste, quand on est bloqué par une contradiction entre l'expérience et l'hypothèse, à se réunir autour d'une table et lancer les idées les plus folles, les plus saugrenues, jusqu'au moment où le choc des imaginations débridées finit par ébranler l'ordre des choses, par ternir l'évidence aveuglante des hypothèses en cours et par laisser enfin le champ libre à de nouvelles formulations.*

Cela dit, il n'est pas non plus besoin d'être un savant pour pratiquer le brain-storming *fantastique. C'est une technique qui est à la portée de tous, il suffit d'en avoir le goût.*

Prenez une chose, n'importe laquelle, homme ou objet, pourvu qu'elle vous concerne tant soit peu : un nuage, un sens interdit, Dieu, l'O.N.U., un emmerdeur, un psychanalyste, un mot, un espace-temps, un ordinateur, et lancez sur cette chose les assauts de votre imagination, regardez-la à travers le prisme de vos folies, oubliez son nom, oubliez sa nature, oubliez sa logique, mais n'oubliez pas sa réalité. Vous la verrez peu à peu se déformer sans se dissoudre et révéler ses dimensions inconnues. Ce que vous pensiez comprendre deviendra une énigme, mais vous vous sentirez sur le point de résoudre l'énigme. Une fois sur mille vous la résoudrez, provisoirement et jusqu'à l'expérience suivante.

Le jeu en vaut la chandelle. C'est à la chandelle qu'il faut penser plutôt qu'au jeu. Le Kim de Kipling s'amusait parfois — beaucoup de nous l'ont fait — à s'asseoir au soleil, les yeux fermés, et à répéter inlassablement son propre nom. Peu à peu son identité se dissociait, il devenait un je qui regarde un moi et le trouve incompréhensible. Il se sentait, lui aussi, au bord de l'énigme et lui aussi sentait la pesanteur s'abattre sur ses épaules quand, en fin de compte, il lui fallait bien ouvrir les yeux.

C'était à l'état pur le jeu du fantastique, celui que jouent sous mille formes tous les adolescents quand ils grandissent et que leur liberté se débat dans l'invisible réseau que serre sur eux le monde où ils n'ont pas demandé à naître. C'est un jeu qu'on n'a jamais fini de jouer, ou alors ce n'est pas la peine...

TABLE DES MATIÈRES

La nouvelle *La Fille sur le trottoir d'en face* a paru dans la « Revue de poche ».

Imp. Sévin, à Doullens. — 7-1969.
(Dépôt légal : 3e trimestre 1969.)
Flammarion et Cie, éd. (No 6 679).
—— Imprimeur : No 2 315. ——

LE FABRICANT DE NUAGES